daniel brouillette

9. Tourista sous les palmiers

La page plate dont on n'est pu capables:

Gouvernement du Québec –
Programme de crédit d'impôt pour l'édition de livres – Gestion Sodec
(Eux autres, ils vous mettent de l'ambiance dans un cinq à sept!)

Bine, 9. Tourista sous les palmiers
© Les éditions les Malins inc.,
Daniel «le vieux garçon» Brouillette
info@lesmalins.ca

Directrice littéraire: Katherine «je bois le pire lait de soya sur le marché» Mossalim
Éditeur: Marc-André «capacité d'attention de quatre secondes» Audet
Illustration et conception de la couverture: Sylvain «big shot de Netflix» Lavoie
et Shirley «maman va te rentrer le thermomètre» de Susini
Mise en page: Diane «c'est pas moi qui fais mon lunch» Marquette

Dépôt légal — Bibliothèque et Archives nationales du Québec, 2018
Dépôt légal — Bibliothèque et Archives Canada, 2018
(Est-ce moi où, à un moment donné, ces bibliothèques vont manquer de place?)

ISBN: 978-2-89657-836-8

Imprimé au Canada.
(C'est quand même une excellente idée.)

Les éditions les Malins «on joue à *Mario Kart* au lieu de travailler» **inc.**
Montréal, Québec

Financé par le gouvernement du Canada | Canada

ASSOCIATION NATIONALE DES ÉDITEURS DE LIVRES

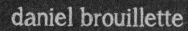

daniel brouillette

↑ T'es vraiment rendu trop vieux pour écrire en jeunesse!

Bine

9. Tourista sous les palmiers

les éditions malins

Du même auteur (pis dans l'ordre en plus!):

À mon oncle Normand,
mon meilleur public depuis que je suis tout jeune,
celui qui rigole de toutes mes niaiseries
même s'il n'aime pas rire et
qu'il n'est jamais de bonne humeur.

Pouf des matières

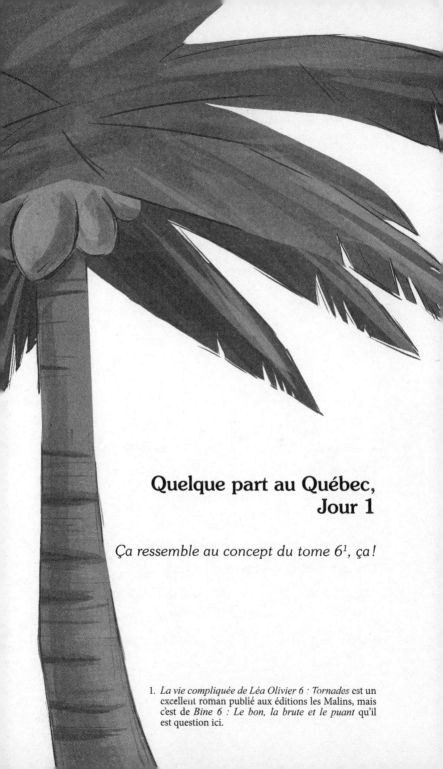

Quelque part au Québec, Jour 1

Ça ressemble au concept du tome 6[1], ça!

---

1. *La vie compliquée de Léa Olivier 6 : Tornades* est un
   excellent roman publié aux éditions les Malins, mais
   c'est de *Bine 6 : Le bon, la brute et le puant* qu'il
   est question ici.

Chapitre 1

Une première phobie, ça se fête

C'est officiel : j'ai peur de l'avion.

Je spécifie «de l'avion» et non «en avion», car je ne suis pas à bord. Je n'ai même pas encore mis les pieds dans l'aéroport !

Je me trouve plutôt dans mon lit, en train de capoter à l'idée de laisser mon destin entre les mains d'un pilote qui a peut-être pris un coup la veille lors d'une soirée vin et pas-mal-moins-de-fromage.

Au fond, voyager en avion, c'est accorder une confiance aveugle à un étranger, à des milliers de mètres dans les airs, muni d'une trousse de survie composée d'une bouée de sauvetage gonflable avec la bouche et d'un p'tit sac à vomi.

Oui, j'ai peur de l'avion. En calvince, à part de ça ! J'ignorais qu'on pouvait à ce point redouter un moyen de transport. C'est rare que je badtripe en trottinette ou à vélo.

À bien y penser, je n'ai pas peur de l'avion : j'ai peur de la mort. Je viens de survivre aux funérailles intenses de mon grand-père, je n'ai pas envie d'assister aux miennes.

L'avion est zéro sécuritaire. Quand il s'écrase, les chances de survie d'un passager sont aussi élevées que celles d'un fafouin qui se lance en bas de la tour Eiffel pour récupérer la pièce de monnaie qu'il a échappée accidentellement. Tant qu'à défier les probabilités, aussi bien se passionner pour le saut en parachute sans parachute.

Mon réveille-matin affiche 7 h 03.

Le « 7 » ressemble à un avion déchiré en deux...

Misère. Je ne m'en sortirai pas.

Dans l'affirmation «Je m'en vais en vacances avec Maxim et je pars demain en avion», je croyais que c'était l'élément «vacances avec Maxim» qui me stresserait. J'avais sous-estimé la portion «je pars demain en avion». De beaucoup.

Ce n'est pas compliqué, je n'ai pas dormi de la nuit. Il y a d'abord eu le ballon de basket téléporté, puis ce message mystérieux sur mon bureau... Une fois convaincu que ce dernier ne pouvait provenir que de la plume de ma mère, je me suis mis à paranoïer sur le voyage.

Dès que ma tête filait vers le monde des rêves, des écrasements d'avion venaient gâcher les belles images de sable, de soleil et de Maxim en costume de bain que je tentais de visualiser.

Cris de passagers en détresse, prières désespérées, bris mécaniques, moteurs qui s'éteignent, grincements de métal, chute dans le ciel, corps propulsés dans tous les sens, pression atmosphérique insoutenable, tympans qui éclatent, odeur de kérosène, explosion, chaleur suffocante et cadavres calcinés sont autant d'éléments qui, selon mes études scientifiques, nuisent au sommeil.

C'est sans compter les pointes de pizza grasse difficiles à digérer que j'ai englouties chez Boston Pizza pour souper, avec ma mère, et les litres de liqueur en fontaine qui m'ont obligé à marcher sur les tuiles de céramique gelées de la salle de bains à quelques reprises pour aller faire pipi.

Une nuit à oublier.

Si une caméra infrarouge installée au plafond m'avait filmé dans le noir, on aurait pu jurer qu'on m'avait injecté des vers dans le rectum. Quand, en deux heures, on passe du dos au ventre, au côté gauche, au côté droit, qu'on revient sur le dos, puis tourne du côté gauche, du côté droit, qu'on refait la crêpe sur le ventre pour finalement retourner au point de départ sur le dos, ce n'est pas long que la folie nous gagne. Il faut alors user d'imagination afin de trouver un semblant de confort.

J'ai essayé toutes les positions, même celles qui n'existent pas. Celle que j'ai baptisée «à quatre pattes, le péteux relevé» était trop exigeante pour les muscles de mes épaules. Sur le ventre, droit comme une barre, les bras le long du corps et la tête enfouie dans l'oreiller afin de bénéficier d'une noirceur totale, j'ai failli mourir d'asphyxie.

En résumé, j'ai joué au Twister sous les couvertures pendant que deux lourdes valises de fatigue poussaient sous mes yeux.

Mon réveille-matin affiche maintenant 7 h 11.

Le « 11 » ressemble à deux jambes arrachées...

À ce stade-ci, j'ai perdu tout espoir de m'endormir. Aussi bien me lever, j'ai mes bagages à préparer.

Dès que je pose le pied au sol, Anorexie saute en bas du lit, puis se met à miauler en grattant le bas de la porte. L'appel de la bouffe.

Question que mon niveau de stress double, ma mère m'accueille dans le passage avec un dynamisme trop prononcé pour l'heure du jour, surtout considérant qu'elle est en deuil de son père.

– Bon matin !

On croirait que c'est elle qui s'en va à Varadero. La bouche pâteuse, je lui marmonne une phrase incompréhensible. À elle de deviner les mots et l'ordre dans lequel elle doit les placer.

– Mon Dieu ! s'étonne-t-elle en m'examinant l'air piteux. As-tu dormi sur la corde à linge ?

C'est son expression pour me signifier gentiment que je fais peur.

– J'aurais peut-être mieux dormi sur la corde à linge.

– Passe-toi le visage sous l'eau froide, ça va te réveiller.

– Laisse-moi le temps de sortir de ma chambre.

Je la connais, elle s'est dépêchée de mettre de côté sa tristesse afin de s'autoconfier une mission humanitaire : m'accompagner dans cette grande étape qu'est mon premier voyage sans ma maman chérie.

Elle va me gosser de la sorte jusqu'à ce que la camionnette du père de Maxim s'immobilise devant la maison. Et même là, elle serait du genre à courir dehors en robe de chambre à moitié ouverte, pieds nus dans ses bottes d'hiver enfilées à la hâte à l'envers, pour faire signe à Normand de s'arrêter alors qu'il fait marche arrière, à cogner à ma fenêtre pour que je la baisse, puis à me rappeler de ne pas oublier de m'enfoncer la casquette jusqu'aux oreilles si je m'expose au soleil plus de trente minutes.

Les mères appliquent des théories bidon qu'elles pigent à droite et à gauche dans leurs magazines plates ou qu'elles inventent carrément. Comme cette règle aléatoire basée sur aucun fait scientifique : vingt-neuf minutes et moins, casquette facultative ; trente minutes et plus, casquette obligatoire sous peine d'insolation. Mais que se passe-t-il entre la vingt-neuvième et la trentième minute ? Une minute, ça va et dès la minute suivante, le soleil devient mortel.

— As-tu faim ? demande ma mère sur un ton pressé, comme si mon avion décollait dans moins d'une heure. Qu'est-ce que t'aimerais manger pour déjeuner ? Veux-tu un verre de jus d'orange ?

Je veux juste la paix.

Je sais qu'elle vient de pleurer pendant des jours, je connais la signification du proverbe «après la pluie, le beau temps», mais cette bonne humeur soudaine

15

me semble forcée et déplacée. Je le lui fais remarquer subtilement.

– T'es pas censée avoir de la peine, toi?

Son enthousiasme disparaît comme le beurre de pinottes sous la confiture qu'on étend.

– T'es donc bien bête! s'insurge-t-elle.

Pis toi, t'es donc ben énervée!

– Est-ce que je suis obligée de brailler vingt-quatre heures sur vingt-quatre parce que mon père est mort? Est-ce que j'ai LE DROIT d'être heureuse pour toi?

Après un silence pesant, son air change. Elle devient suspicieuse.

– Ah, je le sais pourquoi t'es grognon! s'exclame-t-elle, sourire en coin.

Bon. Que va-t-elle me sortir?

– J'ai pas dormi, que je t'ai dit.

– Et pourquoi t'as pas dormi?

Son ton suppose qu'elle connaît la réponse.

– À cause de grand-p'pa pis... euh... de tout ça, là.

Il me vient à l'idée de lui demander si c'est elle qui m'a écrit le mot mystérieux que j'ai trouvé sur mon bureau, puis je me ravise. Je préfère vivre dans la noirceur plutôt que de me faire dire qu'elle ignore de quoi je parle. Je risquerais d'imaginer des fantômes partout ou, pire, de croire que Charles s'est réincarné en perruche. Finir à l'asile, non merci!

Jojo ne lâche pas le morceau.

– Est-ce que ça se pourrait que ce soit le fait de voyager avec ton amoureuse qui te stresse?

Ah non! Elle ne va pas encore se mêler de ma vie sentimentale? La divorcée qui a fait l'amour une seule fois dans son existence a envie de me faire part de ses conseils de couple. Elle s'est essayée durant la saga Lily et ce fut un échec.

– Je te le répète pour la dernière fois: Maxim et moi, on sort pas ensemble.

– Mais vous êtes DÉJÀ sortis ensemble.

Est-ce une question ou une affirmation? À quoi veut-elle en venir?

– Oui... Et?

Elle secoue la tête en se donnant un air innocent.

– Je sais pas, moi...

Quand elle commence ses phrases par «Je sais pas, moi», c'est qu'au contraire, elle sait exactement ce qu'elle en pense. Toute la situation lui apparaît très clairement. Son titre de mère fait en sorte qu'elle détient la vérité. Dans sa tête, à tout le moins.

– Peut-être que tu es nerveux à l'idée de te retrouver en maillot de bain devant Maxim.

Quoi?

Où est-elle allée pêcher pareille niaiserie?

– Qu'est-ce que ça dérange? Elle m'a déjà vu en costume de bain avant aujourd'hui.

– Pas depuis que tu es dans ta «PU-BER-TÉ», dit-elle en ponctuant son énoncé-choc d'une paire de guillemets.

– Ramène pas tes histoires de puberté, s'il te plaît! Tu m'as acheté un livre, c'est assez!

– Le lis-tu au moins?

– Tous les soirs sans faute!

Mon sarcasme ne laisse planer aucun doute.

– Je m'en vais pas me faire dorer le poil de pubis sur une plage nudiste.

Elle incline le menton et lève les deux mains pour montrer que, peu importe ce que j'en pense, je devrais écouter attentivement ce qui suit.

– En tout cas... Par expérience, je peux te dire que ça peut être très gênant pour un ado de sortir de l'eau en costume de bain avec une érection.

Yark!

– OK, m'man, arrête! Il est à peine sept heures pis tu me parles d'érection. Je viens de me réveiller.

– Tu viens de dire que tu as pas dormi.

– C'EST UNE EXPRESSION!!!

– Crie pas! On se calme!

Elle se met à ronchonner:

– Si ça te rend bougonneux, être en amour, tu devrais laisser faire le voyage.

– Je suis pas bougonneux, je suis de très bonne humeur.

– Dis-le à ta face, ça paraît pas.

– Je me lève. C'est un peu normal que j'aie plus envie de discuter de Cheez Whiz que de mon zwiz. Veux-tu me jaser de tes trompes de Fallope, un coup partie?

Cherchant à avoir le dernier mot, elle prend ma question au premier degré et répond le plus sérieusement du monde :

– Elles ont été ligaturées.

– Je le sais, tu voulais pas avoir un deuxième enfant. Je me suis toujours senti désiré, d'ailleurs.

Elle pose les poings sur ses hanches, vexée.

– Dis pas ça ! Tu es la plus belle chose qui m'est arrivée dans la vie.

– As-tu déjà fait un safari au Kenya ?

– Non, pourquoi ?

– Ce serait probablement ton numéro un.

– Nono ! dit-elle, à moitié amusée, en me donnant une tape sur l'épaule.

– Pis en passant, m'man, je vois pas en quoi tu as de l'«expérience» dans les érections.

– Je fais pas juste travailler et torcher la maison. J'ai du vécu. J'en ai vu, des affaires.

Ben garde-les pour toi !

Elle reprend d'un ton calme, question de s'assurer que son message passe en douceur :

– Si jamais tu as envie de discuter de ces choses-là, que ce soit d'érection, de comment pensent les filles ou de... tsé veut dire, sache que je suis là pour toi. Ta mère est pas mal moins déconnectée que tu crois.

– J'en doute pas une seconde.

Je réalise que nous sommes tous les deux debout en plein milieu du corridor depuis quelques minutes. Elle s'en aperçoit en même temps que moi.

– Va te laver le visage, mets-toi un sourire et viens dans la cuisine. J'ai une surprise pour toi !

Chapitre 2

Le champ fleuri sourit
à celui qui s'emmerde

Ma mère n'a pas la même définition de «surprise» que moi. Une surprise doit surprendre agréablement. Sinon, ça s'appelle une déception.

Mon cadeau a pris la forme d'une énorme valise sur roulettes qui trône sur la table de cuisine, là où devrait plutôt se trouver un plateau de fruits, un chandelier ou un Publisac oublié.

– Je te prête ma valise, dit ma mère avec fierté. J'en aurai pas besoin et toi, tu en as pas.

Est-elle daltonienne?

– C'est parce que...

– Quoi? m'interrompt-elle.

Si elle se paie ma tête, c'est réussi. Elle garde son sérieux avec aplomb.

– As-tu vu la valise?

– J'espère. C'est la mienne.

– Elle est rose avec des fleurs mauves!

Elle lève les bras au ciel comme si elle n'avait pas vu venir mes protestations des kilomètres d'avance.

– C'est juste une valise. Elle va passer la semaine dans ta chambre d'hôtel.

– Je veux pas marcher à l'aéroport avec une valise de femme. Elle est super laide!

– Merci beaucoup! se formalise-t-elle. Elle doit pas être si horrible que ça, c'était la dernière qu'il restait à la boutique dans le temps.

– Justement, «dans le temps». On n'est plus en 1992. Pis peut-être qu'ils en avaient commandé juste une et qu'ils étaient incapables de la refiler à un client.

– Tu vas être content quand les bagages vont arriver sur le convoyeur. Tu vas la reconnaître tout de suite. Elle est unique.

– Pour être unique, elle est unique. Personne va oser la voler.

Elle fait la moue.

– Si tu es pas content, tu peux toujours prendre ton argent et aller t'en acheter une. Les magasins ouvrent à dix heures et le père de Maxim passe te prendre à midi. Bonne chance!

– Je vais utiliser mon sac sport noir.

– Il est trop petit pour mettre tes affaires.

– J'ai besoin d'un costume de bain, des bobettes pis des t-shirts. Ça rentre dans un sac de chips.

– Il te faut des sandales, des souliers, des pantalons au cas où il ferait froid, un chandail chaud, ta trousse de toilette, un pyjama, et cætera. Ça va vite!

– Premièrement, tu m'as jamais acheté de sandales de ma vie.

– Pauvre toi, ta mère te maltraite!

Chaque fois qu'elle s'aperçoit qu'elle a commis une erreur, elle ridiculise la situation en faisant comme si je me plaignais de négligence alors que j'ai le ventre plein. Au lieu d'avouer ses torts, elle retourne ça contre moi.

— Deuxièmement, pas besoin de pantalons pis de chandail chaud. Je m'en vais dans le Sud, pas en Alaska !

— Le soir, il fait frais, des fois.

Ma mère est du genre à enfiler une veste en plein été dans les boutiques où la climatisation fonctionne au coton. Mieux, elle extirpe son foulard qu'elle traîne dans le fond de sa sacoche pour ces conditions extrêmes et s'en couvre la nuque, la partie du corps la plus vulnérable aux courants d'air. Sinon, par un procédé physiologique obscur, elle paralyse du cou.

— Pis j'ai pas besoin de pyjama non plus. Dans la chambre d'hôtel, je préfère me promener en boxers avec une grosse érection !

Même si j'affiche un sourire jovial, Jojo n'apprécie pas ma face de fendant.

— Bon, bon, bon, rouspète-t-elle. Me semblait, aussi, qu'on pouvait pas avoir une conversation sérieuse. Tu peux niaiser tant que tu veux, mais à ta place, j'écouterais ma mère.

— T'es jamais allée à Cuba.

— Le canal Évasion, tu connais pas ?

Ma mère consomme avec avidité les émissions où des animateurs-pas-assez-vedettes-pour-décrocher-demeilleurs-contrats visitent différents pays et se pâment devant tout ce qu'ils avalent dans les restos. Comme si tout ce qui se cuisinait ailleurs était savoureux au point d'en perdre son vocabulaire. Je ne vois pas ce qu'il y a d'intéressant à regarder une personne plus chanceuse que soi mastiquer chacune de ses bouchées en poussant des cris de jouissance dans des endroits paradisiaques.

– Fais ce que tu veux, mais viens pas pleurer que je t'avais pas prévenu. Ton sac sport est en tissu mou, tu peux pas le laisser avec les bagages. Il va te revenir tout déchiré.

– Qu'est-ce qu'ils font, les employés? Ils jouent au rugby avec?

– Quasiment.

– J'ai juste à le garder avec moi.

– Tu peux pas apporter de pâte à dents et de crème solaire si tu traînes tes bagages à bord.

– Pourquoi? Ils ont peur que je me brosse les dents dans l'allée?

– Avec les histoires de terrorisme, c'est une question de sécurité. Même les bouteilles d'eau sont interdites. Je sais pas c'est quoi les quantités exactes, mais les contenants ont pas le droit de renfermer plus de tant de millilitres.

– Les terroristes détournent des avions grâce à des tubes de pâte à dents... C'est vrai que c'est dangereux, de la Colgate! C'est donc ben compliqué, prendre l'avion!

– C'est pas compliqué du tout. J'ai la solution pour toi, mais tu te bornes avec tes préjugés.

– Ta valise est affreuse pis elle est tellement grande que je pourrais rentrer dedans !

– Arrête de chialer, déjeune et va faire ta valise. Belle ou laide, tu en as besoin. Si tu en veux une à ton goût, tu demanderas ça à Noël l'année prochaine.

– Commence par me donner mon cadeau de cette année.

Ma mère interrompt immédiatement tout mouvement et me fixe de ses deux boules de feu. Si le Code civil le permettait, elle me lancerait à travers la fenêtre.

Cheap shot.

Un coup bas, je l'admets. Je suis allé trop loin. Ma phrase assassine est sortie toute seule, sans passer par un quelconque filtre de sensibilité. Après tout, ce n'est pas de sa faute si son père est mort juste avant Noël.

– Je m'excuse, c'est pas ça que je voulais dire.

Mieux vaut désamorcer le conflit et partir en vacances en bons termes.

– J'espère, dit-elle d'un ton grave.

Je reprends mon argument, mais en y ajoutant une certaine touche de délicatesse.

– La dernière fois que j'ai demandé quelque chose de précis, j'ai reçu un chat à la place.

– Seigneur, reviens-en, de ton chien ! Tu l'aimes, Anorexie, oui ou non ?

Interpellée, ma chatte redresse sa tête, puis, constatant que la conversation est d'un intérêt nul, retourne à son bol de nourriture ultra sèche. Eh qu'elle doit être tannée de toujours manger la même affaire !

– Je te trouve pas mal bougonneux, réitère ma mère en ouvrant la porte du congélateur.

Mon grand-père est mort, son fantôme m'a laissé une note sur mon bureau, j'ai peur de prendre l'avion, je suis stressé de passer du temps avec Maxim, pis comme si c'était pas suffisant, il faut que je voyage avec une valise fleurie horrible !

– Je suis pas bougonneux, c'est toi qui me persécutes.

Elle claque la porte du congélateur sans avoir pris ce qu'elle était venue y chercher.

– Je te persécute ? Tu vis rien de moins que de la PERSÉCUTION ?

– Tu me harcèles depuis que je suis levé.

– Tu demanderas aux Cubains c'est quoi, de la persécution.

C'est quoi, le rapport ?

– Je vais leur demander sans faute.

La conversation s'arrête là-dessus. Sur un frette. Chacun prépare son déjeuner en silence, puis prend place de son côté de la table.

Toujours debout sur ses roulettes en plein centre, la valise joue le rôle de frontière. Ma mère campe au nord, et moi, au sud.

Et moi qui voulais partir sur une note positive !

Tandis que ma mère lit sa *Presse+* sur son iPad en sirotant son café d'un air boudeur, j'avale mes toasts de travers. Celui qui enlèvera la valise de la table et franchira le fossé qui nous sépare sera déclaré perdant. Ma mère ne m'a pas officiellement fait part de cette épreuve, mais j'ai la forte impression qu'un combat psychologique s'est engagé. Et comme je suis mauvais perdant, je mange en admirant des fleurs mauves.

– Oh là là! dit-elle pour elle-même.

Je devine qu'elle vient de lire une nouvelle surprenante et qu'elle désire que j'enterre la hache de guerre en lui demandant de quoi il s'agit.

– Aïe, aïe, aïe!

Elle attend que je réagisse.

Fais-lui donc plaisir, tête dure!

– Bonyenne de bonyenne!

Va-t-elle passer à travers toute la gamme des patois?

– En tout cas, j'espère que votre vol va avoir lieu comme prévu!

Je me résous à la satisfaire. Je me lève et dépose la valise sur le sol.

Ha! Ha! T'as perdu!

– Qu'est-ce qui se passe?

Elle me fixe droit dans les yeux et largue sa bombe:

– Il y a un avion qui s'est écrasé à Cuba, hier.

Quoi??????????

OK, c'est quoi, ton but? Me traumatiser?

– Il paraît que c'était pas arrivé depuis plusieurs années.

J'espère, calvince!

– Pourquoi tu me dis ça?

– Voyons! As-tu peur de l'avion comme ta grand-mère?

– J'avais pas peur il y a deux minutes, mais là, un peu. Pis toi, à ce que je sache, t'es pas mieux que grand-m'man. T'as jamais voyagé en avion.

– C'est pas parce que je voulais pas, on n'avait pas d'argent. Pis ton père, les seuls voyages qui l'intéressaient, c'était d'aller à Daytona ou à Las Vegas. Est-ce que j'ai l'air de quelqu'un qui aime assister à des courses de chars et jouer dans les machines à sous?

Avec le temps, j'ai appris qu'il ne sert à rien de répondre à ce genre de questions. Elles ne servent qu'à alimenter ses frustrations.

– Je rêvais de traverser l'Écosse, de visiter la Grèce, de me promener en gondole à Venise. Pas lui. Ça fait que pour notre lune de miel, on est allés à Old Orchard. Faire l'amour avec du sable dans la craque, c'est pas ce qu'il y a de plus romantique!

– OK, m'man! C'est trop de détails. J'ai pas besoin de savoir l'heure ni la position. Merci.

Elle retourne à son écran.

– Si ça peut te rassurer, l'écrasement, c'était pas un vol international, c'était un vol local.

– C'est censé me rassurer?

– L'avion, c'est le moyen de transport le plus sécuritaire. Tu as plus de chances de te faire frapper en allant à pied au dépanneur qu'en prenant l'avion.

– Selon qui? La même personne qui prétend qu'il faut mettre sa casquette à partir de la trentième minute d'exposition au soleil?

– C'est connu. Il y a plus d'accidents de voiture que d'avion.

– Il y a ben plus d'autos que d'avions, c'est normal. Je suis certain qu'il y a plus d'accidents d'avion que de fusée... Irais-tu à bord d'une fusée pour autant?

– C'est pas la même chose. Tu es de mauvaise foi.

Chaque fois qu'elle perd une obstination, elle prétend que je suis de mauvaise foi. La boucher est si facile! Je poursuis avec mes arguments béton:

– En auto, tu peux t'en sortir avec un pare-chocs poqué, une miniscratch. Pis tu peux compter sur tes coussins gonflables, tu meurs pas automatiquement. Un avion qui pogne le champ et qui fait des tonneaux, c'est rarement jojo.

– Moi, je te le dis, tu as pas à t'inquiéter. Lady Gaga prend souvent l'avion et il lui est jamais rien arrivé.

– Dommage, sa musique est tellement plate.

– C'est méchant, ce que tu dis là. Tu devrais t'excuser.

– Je m'excuse, madame Gaga.

– Ton grand-père disait toujours: quand on n'a rien d'intelligent à dire, on se tait.

À mon tour d'être bouché. Ramener Charles dans la conversation, ça aussi, c'est un coup bas!

Ma mère continue sa lecture et la commente:

– J'espère qu'ils ont pas fermé l'aéroport, l'avion s'est écrasé pas longtemps après le décollage.

Toi qui avais peur de l'avion, tu vas ben mourir d'une crise de cœur!

– Je vais appeler à l'aéroport tantôt pour m'informer, dit-elle.

– Tu parles pas un mot d'espagnol.

– À l'aéroport de Montréal, no...!

Elle s'interrompt. Mon détecteur à insultes se met à sonner.

– T'en allais-tu me traiter de nono?

– Pas du tout, répond-elle sur la défensive. Je m'en allais dire, euh... nonobstant.

Elle passe le reste du repas à me résumer la tragédie qui secoue, je le précise à nouveau, le pays que je m'apprête à visiter.

Mes toasts à la confiture ressemblent tout à coup à des lambeaux de chair ensanglantée...

Après le déjeuner, je me lève, vais porter mon assiette dans l'évier, puis examine la poignée de la valise. J'essaie de tirer, mais rien ne se produit.

– Qu'est-ce que tu fais? demande Jocelyne.

– C'est pas un genre de poignée télescopique?

– Pèse sur le bouton, ça va aller mieux.

Je m'exécute, puis teste la maniabilité des roues en me dirigeant vers ma chambre.

– Et là, tu fais quoi? s'enquiert-elle.

Ça va faire!

Je m'arrête et me retourne.

– Je m'en vais faire ma valise.

– Elle est correcte, tout d'un coup? demande-t-elle avec une pointe d'ironie. Ton orgueil a réussi à passer par-dessus l'épreuve?

Que veut-elle? Que je lui envoie une carte de remerciement pour ce magnifique cadeau? Je force un sourire et lui sers un merci trempé dans le chocolat, sans quoi elle bourrassera toute la journée. C'est elle, la bougonneuse, pas moi.

Une fois dans ma chambre, je dépose la valise sur mon lit et ouvre le couvercle rigide de la section principale.

Ayant elle aussi terminé son repas, Anorexie me rejoint, puis saute dans ce nouvel objet intrigant sur lequel elle s'empresse de laisser son odeur. Elle frotte ses moustaches sur le rebord, puis tâte le fond du bout des pattes afin de s'improviser un endroit où se coucher. Je l'observe d'un œil pendant que je ramasse quelques paires de bas qui traînent sur le plancher, comme des balles de golf sur un terrain de pratique.

– Qu'est-ce que tu fais, toi? Tu viens à Cuba avec moi?

Espères-tu une réponse? Tu parles à un chat...

– Tu veux pas virer folle toute seule avec maman pendant que le beau Bine est parti?

– Je t'entends, rouspète ma mère en passant la tête dans le cadre de porte.

Oups !

– Je blaguais.

Elle hoche la tête, convaincue que je mens, et me tend mon passeport.

– Oublie-le surtout pas.

Dès qu'elle tournera les talons, je le cacherai dans une pochette pour m'en assurer.

– Là, mets-le pas dans ta valise, m'avertit-elle.

Re-oups !

– Tu dois l'avoir sur toi quand tu arrives à l'aéroport. On va te le demander.

– Je le sais.

Tu sais rien pantoute.

Bien qu'elle brûle d'envie de m'assister, elle exauce mon vœu et me laisse préparer mes bagages en paix. Dans son cœur de mère, elle prie pour que j'oublie un article vital. Comme ça, à mon retour, après m'avoir écouté me plaindre, elle pourra me faire la leçon : «Je te l'avais bien dit, de m'écouter !»

Mais je ne lui accorderai pas ce plaisir. Rien de plus facile que de tout prévoir pour sept jours de vacances : mes souliers sport, sept paires de boxers et de bas, autant de t-shirts, deux bermudas au cas où j'en salirais un et mon costume de bain, le même que je portais au camp des Aventuriers Extrêmes.

À la salle de bains, je saisis ma brosse à dents ainsi qu'un tube neuf de Crest dans la réserve de la pharmacie, sans oublier la crème solaire achetée hier après la rencontre avec Alexandre Laflamme, ce jeune que mon grand-père a sauvé de la noyade.

Voilà, ma valise est prête. Exploit réalisé en exactement six minutes, selon mon réveil-matin.

Il me reste plus de trois heures à me tourner les pouces en attendant de partir. Je n'ai plus d'ordi depuis qu'il a été infecté par un virus, à cause d'un site louche consulté quand je sortais avec Lily, et ma seule lecture est le magazine «humoristique» de Tristan. Mon livre de la puberté a depuis longtemps été recyclé en papier journal ou en litière pour chats.

Je n'ai rien, rien, rien à faire. Je n'ai aucune envie d'aller au sous-sol me claquer les émissions plates du samedi matin : des madames qui parlent des meilleures boîtes à lunch et des collations santé à privilégier ou, sur les chaînes sportives, des tournois de petites quilles filmés dans des villages québécois où le Tigre Géant fait figure de magasin par excellence. Si au moins j'avais une PlayStation ou n'importe quelle console de jeux vidéo...

Hier, en allant remettre à Tristan son drone impossible à faire voler, je suis plutôt tombé sur son père. J'ai promis à ce dernier que j'allais revenir cet avant-midi pour lui rapporter les vêtements qu'il m'a prêtés pour les funérailles et qui ont séché sur des cintres toute la nuit, mais comme il a soutenu que rien ne pressait, je m'en occuperai à mon retour. Tristan me cède sa place par pure amitié, je me sens gêné d'aller l'écœurer avec mon voyage.

– *Bonne semaine, Tristan! Je te souhaite une belle tempête de neige pour pouvoir utiliser ta souffleuse. Nous autres, on s'en va se faire griller à Cuba!*

Je déteste attendre. Respirer en fixant le mur, assis sur son lit, c'est débilitant. Mais je préfère ça à parader devant Tristan. J'imagine que ce matin, sachant que la camionnette de Normand passera sur notre rue d'une heure à l'autre, il doit regretter plus que jamais d'avoir fait preuve d'autant de générosité. C'est lui qui devrait s'envoler pour Varadero, pas moi. Pas après ce que j'ai fait à Maxim.

La binette de mon espionne réapparaît.

– Je me suis informée et votre vol a lieu comme prévu. L'écrasement est survenu dans un autre aéroport.

– Bonne nouvelle, que je réponds, ne sachant pas trop quoi dire.

Elle remarque que les loisirs semblent me manquer.

– Qu'est-ce que tu fais?

– Rien.

– Tu as déjà fini de faire ta valise?

– Ça fait longtemps.

Elle y va d'une énième tentative:

– Veux-tu que je révise avec toi, question que tu oublies rien?

– J'ai pensé à tout.

– Ce serait plate que tu arrives à l'hôtel pis que tu réalises que tu as oublié tes bobettes.

– J'en ai sept paires. Propres, en plus!

– Tu peux en apporter une paire de plus au cas où.

– J'ai pas l'intention de suer comme un cochon. Tout est sous contrôle.

Je l'entends brasser quelque chose qui sonne comme une boîte de céréales ou de nourriture pour chats derrière son dos. Une deuxième surprise?

– Viens-tu à la cuisine avec moi? Je me suis acheté un casse-tête mille morceaux il y a des années et j'ai jamais eu le temps de le faire. Tu sais comment c'est! Tu te dis que tu vas relaxer pendant le temps des fêtes, que cette année, c'est vrai, mais finalement, tu le fais pas parce qu'il y a toujours des tâches à faire dans une maison. Tu vas voir quand tu vas être grand.

Je suis impatient de vivre ces si beaux moments.

Je me fais la promesse d'appeler l'aile psychiatrique de l'hôpital le jour où j'estimerai qu'un casse-tête constitue un passe-temps passionnant.

Elle me montre la boîte, sur laquelle a été reproduite la photo d'un champ de fleurs, toutes identiques les unes aux autres. Décidément, le fleuri est à l'honneur, ce matin!

Avoir à choisir un paysage pour un casse-tête, j'opterais pour une cellule sale de prison à sécurité maximale avant le champ aux dix mille fleurs pareilles. Mais bon, quand je regarde la valise avec laquelle je transporterai mes t-shirts des Dying Cows et des Foetus Slashers, je me dis que ma mère et moi n'avons aucun goût en commun.

Elle poursuit son interminable préambule :

– Comme tu seras pas là pendant une semaine, je vais en profiter pour prendre une bonne partie de la table de cuisine. Je me ferai un petit coin aux repas. Je vais pouvoir relaxer avec mon casse-tête entre chaque couche de peinture.

Oh ! J'avais oublié que ce voyage me sauvait d'une corvée pénible. Dès que sa chambre au sous-sol sera prête, Rose viendra vivre ici. Jusqu'à quand ? Personne ne le sait.

– Ça te tente-tu de m'aider en attendant de partir ? On pourrait commencer par chercher tous les morceaux du contour.

Quelle offre alléchante !

Refuse.

Mais entre ça, fixer le mur ou torturer la conscience de Tristan…

– OK.

Mon consentement ne pourrait pas être moins convaincant, mais ça suffit aux yeux de ma mère.

– Super !

Ma mère libère la table de cuisine de sa nappe (fleurie !), ouvre la boîte du casse-tête, perce le sac contenant les mille morceaux, puis le vide lentement.

Un morceau tombe par terre. Je le ramasse.

– C'est un coin ! s'exclame-t-elle.

– Quoi?

– C'est un des quatre coins! répète-t-elle en me le prenant des mains. Quelles étaient les chances?

Je suis pourri en mathématiques, mais vite de même, je dirais quatre sur mille.

Jojo continue de s'extasier devant cette loi des probabilités déjouée. Eh qu'on va avoir du fun à trouver les autres morceaux du contour!

– Est-ce que ça arrive qu'un vol soit devancé?

Mon espoir de décamper plus tôt que prévu s'évanouit aussi vite qu'il s'est pointé.

– Rarement.

Misère. J'aurais préféré que le vol ait eu lieu à cinq heures cette nuit. Tant qu'à ne pas dormir... Là, en partant en plein après-midi, on gâche notre journée. À l'heure où l'on arrivera à l'hôtel, ce sera le temps de se coucher. Heureusement, cette journée ne compte pas dans nos sept jours de vacances. En incluant aujourd'hui, je serai parti huit jours.

Contrairement à ce que j'ai dit à ma mère hier en lui annonçant la bonne nouvelle, je ne reviendrai pas dimanche prochain, mais bien samedi. Cette nuit, j'ai eu amplement le loisir d'effectuer ce calcul compliqué en m'aidant de mes doigts: jour 1, lève le pouce, samedi; jour 2, lève l'index, dimanche; jour 3, lève le majeur, lundi; jour 4, lève l'autre doigt dont je me rappelle jamais le nom et qui fait automatiquement retrousser l'auriculaire, mardi; jour 5...

En même temps que nous nous consacrons à cette tâche excitante qu'est le repérage des morceaux du contour, nous tournons face vers le haut toutes les pièces tombées à l'envers. Mais ce n'est pas tout! Nous étalons aussi les mille morceaux de façon à ce qu'il n'y en ait aucun qui se touche ou se superpose. Je dois me pincer tellement je m'amuse.

Comme si ça ne suffisait pas, ma mère, allergique au silence, me raconte des histoires de bureau, car oui, elle en garde en réserve pour les occasions spéciales.

Les quelques heures d'attente avant d'entreprendre le plus beau voyage de ma vie, ç'a l'air que je devrai les passer en m'adonnant au seul passe-temps plus emmerdant que les sudokus, avec, en prime, le récit des aventures de Marcel et de Liette, les deux meilleurs amis de ma mère.

Il faut croire que tout s'équilibre: pour chaque affaire le fun, il faut en endurer une plate. Un peu comme pour les filles. J'ai eu le privilège de sortir avec Maxim, puis je me suis gâché l'existence avec Lily.

Ce voyage sera un retour du balancier inespéré. À moi de saisir l'occasion. C'est cette semaine ou jamais. Maxim ne me laissera pas quinze chances. Elle est déjà charitable de m'en offrir une seconde.

Je me sens d'attaque.

– Oh! Un autre coin! jubile Jojo.

Comme ma mère avec son casse-tête.

Chapitre 3

Oublie pas ci, oublie pas ça

– ILS ARRIVENT !!!! hurle ma mère de la cuisine, d'un ton donnant l'impression que l'armée russe débarque en ville.

Occupé à me laver les mains dans la salle de bains, je les rince et les essuie en vitesse, puis sors en coup de vent.

Ma meneuse de claque s'agite les pompons dans l'entrée.

– Vite, ils t'attendent !

– J'ai compris, relaxe ! Ils partiront pas sans moi après douze secondes.

Ponctuels, Maxim et son père se sont pointés pile à l'heure. Leur camionnette ronronne dans le stationnement, derrière notre Tercel.

Une bouffée d'adrénaline subite m'envahit. J'ai chaud. J'aurais envie d'ouvrir les fenêtres et de m'enivrer de l'air congelé. On dirait que je suffoque.

– Oublie pas ton passeport.

Je vérifie pour la centième fois ma poche droite de pantalon.

– Il est encore là. Il s'est pas sauvé.

– Oublie pas ta crème solaire.

– J'ai tout, tout, tout, m'man. Là, si tu continues à faire l'inventaire de tout ce que je dois apporter, ils vont s'impatienter pour vrai.

Voyant qu'elle me barre carrément le chemin, elle libère le vestibule et me laisse prendre mon manteau dans le garde-robe. Ne renonçant pas à stresser, c'est tout juste si mon assistante ne zippe pas la fermeture éclair à ma place.

– Oublie pas ta valise.

À la grosseur et à la couleur qu'elle a, difficile de la confondre avec une plante. Surtout qu'elle bloque la porte d'entrée.

– Oublie pas de mettre ta tuque, c'est pas le temps d'attraper un rhume.

Inutile de lui préciser que les virus ne s'introduisent pas par les tympans ou la racine des cheveux. Elle va vieillir avec cette idée que la grippe et le rhume s'attaquent aux personnes vêtues inadéquatement l'hiver.

– Oui, m'man. Tout va bien.

Ne sachant pas quel temps il fait dehors, j'enfile la totale : tuque, gants et cache-cou. Je serai protégé de tout, même du scorbut et de la lèpre.

– Tu devrais aussi t'apporter une couverture pour dans l'avion.

– Pour faire quoi ? Me coucher dans l'allée ?

– Il paraît qu'il fait froid en avion.

Elle pis son froid ! Comme si les frissons étaient un châtiment pire que la famine et la suffocation.

– Faut pas virer fou, il doit pas faire plus froid en dedans que dehors. Si j'ai si froid que ça, je mettrai mon manteau.

– En tout cas, moi, je m'apporterais une p'tite laine de plus. Veux-tu que je te prête mon foulard?

– Non merci, je voudrais pas matcher avec ma valise en plus.

Les conseils-consignes-ordres ne s'arrêtent pas là.

– Là, oublie pas: assure-toi de rien boire avec de la glace. L'eau du lavabo va te rendre malade.

– Oui.

On jurerait que le sort de l'humanité tient dans chacun de ses avertissements, qu'elle prononce avec conviction, empressement et insistance.

– Oublie pas de mâcher de la gomme en avion, ça va déboucher tes oreilles.

Le paquet entamé d'Excel à la menthe qu'elle m'a donné dort dans mon autre poche de pantalon.

– Oui.

– Oublie pas d'éviter la viande les premiers jours, le temps que tes intestins s'habituent. Mange surtout du riz, des patates et des bananes. Ça constipe.

Parfait, j'ai hâte de bloquer.

– Oui.

Comme je n'en peux plus, je me contente d'acquiescer à chacune de ses directives. La scène ressemble à la conclusion d'un feu d'artifice, quand tous les pétards restants explosent un après l'autre à un rythme effréné. Une mitraillette de «oublie pas ci, oublie pas ça». Un tourbillon étourdissant.

– Tu te souviens de tes chiffres en espagnol, j'espère?

Dieu sait que je vais devoir souvent compter à Varadero!

– C'est facile, faut ajouter un «o»: uno, deuxo, troiso.

– C'est *uno, dos, tres,* rectifie-t-elle avec le pire accent possible.

– Pis si je veux quatre bananes, je fais quoi?

– *Cuatro.*

– Donc il faut juste ajouter un «o», comme je disais.

– Sont pas tous comme ça.

– C'est quoi, cinq?

– *Cinco.*

– Tu vois?

– Mais «six», c'est pas «sixo».

– C'est niaiseux, l'espagnol.

– C'est une langue super romantique.

– C'est vrai que c'est romantique, compter jusqu'à six.

– Oublie pas, *gracias,* ça veut dire «merci».

– Merci de l'information. Ou plutôt: *graciââss.*

– Oublie pas de les remercier.

– Les Cubains ou bien Normand et Maxim?

– Tout le monde. Tu remercies tout le monde. Chaque fois que quelqu'un fait quelque chose de gentil pour toi, tu dis «merci».

– Je dis pas «*graciââss*»?

– C'est important d'être reconnaissant.

– J'avais l'intention de les envoyer promener.

Elle soupire de découragement.

– J'espère que j'oublie rien...

– Tu as oublié de me dire de pas oublier d'ouvrir la porte avant de sortir.

– Arrête de faire ton smatte et dépêche-toi!

– C'est toi qui me ralentis avec tes dix mille consignes.

Déconcentré par ma mère, je me penche pour mettre mes bottes et les lace avec mes gants, ce qui n'est pas l'idéal. Lorsque je me relève, elle se jette dans mes bras et éclate en sanglots.

– Bonnes vacances! Je t'aime! Sois prudent!

– C'est pas moi qui pilote...

Si elle a peur que je saute en bas de l'avion, elle n'a pas à s'inquiéter. Être prudent... En matière de conseil inutile, c'est comme si j'allais me faire opérer au cœur sans anesthésie générale et que le médecin me disait: «Bouge pas!»

Euh non, ton exemple marche pas pantoute.

Ma mère me recommande toujours d'être prudent. C'est la formule que j'entends systématiquement avant de sortir de la maison, que j'aille m'acheter un Mr. Freeze au dépanneur ou que je parte pour l'école.

Ses bras vigoureux me compriment les côtes. Je me sens comme le toutou d'un enfant un tantinet trop intense dans ses marques d'affection. Les larmes de Jojo se faufilent jusqu'à mon cache-cou.

– Pourquoi tu pleures?

Elle se retire de l'étreinte et s'essuie les yeux.

– Ce matin, tu chialais que je pleurais pas et là, tu chiales parce que je pleure. Décide-toi!

– Je chiale pas, je comprends pas.

– Je vais m'ennuyer, c'est tout. Est-ce que j'ai le droit? Tu vas être à l'autre bout du monde!

– Est-ce que tu t'ennuierais moins si je partais une semaine à Magog?

– Ah! peste-t-elle. Tu es pas possible avec ton sarcasme, ce matin! De qui tu retiens ça, coudonc?

Indice: pas de toi.

Elle me donne un bec sur la joue et me pousse quasiment dehors.

– Oublie pas d'en profiter!

– Pis toi, oublie pas de finir ton casse-tête.

Parce que j'ai pas envie que tu m'offres de le continuer à mon retour.

– Tu peux être certain.

– J'ai hâte de voir ça.

Tellement pas!

Autant je suis soulagé que Maxim vienne me libérer de ce casse-tête et de ces «oublie pas...» pénibles, autant j'appréhende la suite. Va-t-il y avoir un froid entre nous, dans la camionnette? Un froid que même le meilleur des foulards ne pourrait m'épargner? Après tout, nos dernières conversations, notamment celle du confessionnal, n'ont pas été des parties de plaisir. Même hier soir, au téléphone, elle m'a lancé une flèche en insinuant qu'une de mes activités préférées est de faire de la peine aux filles.

En me pointant le nez dehors, je ne tarde pas à avoir la réponse.

– Wow, belle valise! se moque Maxim en me rejoignant.

Je souris.

– Le rose, c'est ma nouvelle couleur préférée.

Elle rit.

Sa bonne humeur m'apaise. Je craignais de recevoir un «bonjour» timide. J'ignore pourquoi, mais les gens mal à l'aise me rendent mal à l'aise. Une espèce de maladie contagieuse. Comme le rhume quand on oublie sa tuque.

J'ai l'impression de retrouver la Maxim de l'été dernier. Comme si l'automne n'avait été qu'un mauvais rêve dont on s'éveillait à l'instant. J'ai envie de crier de joie.

Et c'est ce que je fais sans réfléchir:

– On s'en va à Cuba, wouhou!!!!

La porte du coffre arrière s'ouvre automatiquement. Normand sort de la camionnette et me salue d'une poignée de main chaleureuse à en casser des phalanges.

– As-tu hâte d'aller te faire bronzer? me demande-t-il en déposant ma valise à côté de celle, plus jolie, de Maxim.

– Mets-en!

– Avant qu'on parte, je veux être certain: as-tu ton passeport?

J'éclate de rire.

Il me regarde d'un air intrigué.

Moque-toi donc de lui!

– Désolé. C'est parce que ma mère me l'a répété au moins deux cents fois depuis ce matin.

Une fois le coffre refermé, Normand nous invite à prendre place. Je m'assois derrière notre chauffeur et Maxim, sur le siège passager avant. Il lui faudra se tordre le cou pour discuter avec moi.

– Comment va votre femme? que je demande à Normand, par politesse.

Après tout, si je suis ici, c'est grâce à elle et surtout, à sa grippe.

– Elle va un peu mieux, mais elle aurait pas été assez en forme pour nous accompagner. Elle a encore mal aux muscles.

– C'est dommage.

Espèce d'hypocrite!

J'avoue que je me réjouis de sa maladie. Je me sens comme une pourriture de penser de cette façon, mais au moins, je suis honnête avec moi-même.

Avec eux, c'est différent. Je dis ce qu'on doit souhaiter dans les circonstances:

– On va espérer qu'elle guérisse vite.

Nous nous mettons en route.

– C'est parti, mon kiki! s'écrie Normand.

Maxim et moi poussons un cri de joie, puis un silence de quelques secondes s'invite dans le véhicule. Je redoute immédiatement le pire. S'il faut qu'on n'ait rien à se dire pendant le trajet, la semaine va être longue.

Trouve un sujet de conversation, fais semblant de tousser.

Contre toute attente, la magnifique surprise de ma mère me sauve. Les minutes suivantes sont consacrées à des moqueries contenant les mots «valise», «rose», «mauve» ou «fleurs». Maxim s'en donne à cœur joie.

– Rendu à Cuba, tu feras attention pour pas te tromper avec la valise d'une grand-mère.

Comme la glace est brisée, je prends le relais une fois le sujet des bagages épuisé. Ma mère et ses «oublie pas...» passent au tordeur. Normand et Maxim m'écoutent, amusés.

Si on peut affirmer que le voyage est commencé, ça promet. Je n'aurais pas pu espérer meilleur début. J'ai l'impression que Maxim en est revenue de Lily et de ma trahison. En surface, en tout cas. Le dépaysement ne pourra qu'améliorer les choses. Je suis impatient d'arriver.

La Honda Odyssey file sur l'autoroute. Nous dépassons plus que nous nous faisons doubler. Pour éviter que des policiers postés à des endroits stratégiques lui collent une contravention, Normand a réglé sa vitesse sur le *cruise control* à 115 km/h, selon ce qu'indique l'aiguille orange près de l'odomètre.

Ça excède la limite, mais en bas de 120 km/h, il n'y a pas un agent qui lève le petit doigt. Pas assez payant, semble-t-il, et facilement contestable en cour. C'est mon père qui m'a tout expliqué ça. Lui, il joue un peu plus avec le feu, en roulant à 119 km/h. Sans le crier sur les toits, Normand partage en quelque sorte la même philosophie : on a le droit de tricher, mais à l'intérieur d'un cadre raisonnable.

Ce serait génial si ça fonctionnait comme ça à l'école. Dans ton examen de mathématiques, tu as le droit de tricher, mais pas trop. Juste assez pour, disons, obtenir la note de passage.

À l'entrée de Montréal, la circulation ralentit, mais ça ne nous empêche pas d'arriver trois heures en avance à l'aéroport Pierre-Elliott-Trudeau, nommé ainsi en l'honneur du père de Justin Trudeau, selon ce que nous apprend Normand.

– Contrairement à son fils, c'était un vieux malcommode, ajoute-t-il.

Voilà pour la portion historique du voyage.

Nous trouvons une place de stationnement si loin de l'entrée que l'on doit prendre un minibus pour se rendre aux portes principales.

À l'intérieur, ça grouille de partout. Une fourmilière de la taille d'un centre commercial. Des gens marchent dans tous les sens, l'air pressé et la tête en l'air, consultant des panneaux sur lesquels les flèches se multiplient et semblent se contredire. Va tout droit, tourne à gauche, dirige-toi à droite, non, va à gauche. Celui qui cherche la salle de bains a de quoi virer fou.

Aucune idée où il faut aller. Si l'on se fiait à mon flair, on s'envolerait probablement pour la Chine assis dans la soute à bagages. Heureusement, Normand navigue à son aise. Maxim et lui n'en sont pas à leur premier voyage. Mon amie a eu le privilège d'aller à Disney World non pas une, mais deux fois. Moi, c'est à peine si j'ai déjà mis les pieds à La Ronde. Le prochain qui me dit que l'argent ne fait pas le bonheur, je l'envoie en safari au zoo de Granby.

Nous suivons Normand jusqu'à l'arrière d'une file. C'est à cet endroit que ma valise fleurie est pesée, puis lancée sur un convoyeur. Plus obligé d'avoir l'air fou en la transportant, du moins pour le moment. Elle réapparaîtra en un claquement de doigts à l'aéroport de Varadero.

Plus loin, nous passons un contrôle de sécurité. Je marche à travers un genre de portail, qui se révèle être un détecteur de métal. Un homme à l'air bête observe un écran afin de s'assurer que je ne me suis pas inséré une carabine dans le derrière.

On me laisse avancer sans me poser de questions.

Je ne dois pas avoir de carabine.

Le sac à dos de Normand est lui aussi passé aux rayons X.

De l'autre côté du contrôle de sécurité, là où s'alignent des boutiques chics, des dépanneurs aux mille et une gogosses pour passer le temps et quelques restos, les voyageurs sont plus relax. Ils attendent leur vol. Je ne sais pas si les touristes ont tendance à puer, mais je n'ai jamais vu autant de bouteilles de parfum. Ça et des contenants de sirop d'érable. Je ne vois pas le but d'acheter une canne de sirop pour se rendre à Varadéro. Personnellement, je me sens capable de m'en passer pendant sept jours...

Voilà, c'est tout. Nous sommes arrivés depuis à peine vingt minutes et tout est réglé. Il nous faut maintenant poireauter d'ici l'embarquement. Pourquoi fallait-il se présenter trois heures à l'avance si le processus est si rapide? C'est rare qu'on se pointe à huit heures chez le coiffeur pour un rendez-vous prévu à onze heures.

Mais ce n'est pas grave. Tant que je suis en compagnie de Maxim, on peut bien manger un sandwich à la luzerne dans un restaurant végétarien dont l'ambiance est assurée par un album de Bruno Mars, puis faire un casse-tête de champ fleuri pour passer le temps.

Vers quatorze heures, je réussis à grignoter la moitié d'un panini sec au poulet sec et aux canneberges séchées. La nervosité me coupe l'appétit.

Par la suite, nous nous assoyons sur un banc tout près de la porte d'embarquement. Nous discutons de tout et de rien. De ma saison de misère au basketball, de nos souvenirs de vacances, de l'école.

Profitant de ce dernier sujet, Maxim m'annonce un scoop :

– C'est officiel, l'année prochaine, je m'en vais vous rejoindre, Tristan et toi, à la poly.

Wouhou !!!!!

Mon cœur s'emballe, mais j'essaie de garder mon calme.

– Ah, c'est cool !

Je ne sais pas pourquoi, mais depuis que mon grand-père est mort, il m'arrive plein de belles affaires. Ça confirme ma théorie : les choses s'équilibrent. Je devrais écrire un livre là-dessus, un jour...

Cet automne, Maxim m'avait dit qu'elle déprimait à son collège de riches-pets, mais entre vouloir changer d'école et passer à l'acte, il y avait une étape importante à franchir. Je sens dans la réaction de Normand qu'il s'est opposé au projet, mais que sa fille a fait preuve de persuasion.

– C'est bizarre que tu aies de la difficulté à te faire des amies, regrette-t-il. Tu es tellement sociable.

– C'est une école de bitchs, papa. Pis mes meilleurs amis sont tous à la poly.

– Tous les bums de la ville vont là.

J'interviens sans réfléchir :

– J'en connais deux qui y vont plus.

Voyant que Normand attend des éclaircissements, je lui raconte mes mésaventures lors du party d'Halloween, de ma bagarre avec les jumeaux jusqu'à leur arrestation. Je me souviens, c'est lui qui nous avait conduits à la danse.

– Tu m'avais pas conté ça, petite cachottière! reproche-t-il à sa fille gênée.

Je réalise que je commets une erreur en ressuscitant cette sacrée soirée, où j'ai eu la brillante idée d'embrasser une certaine Lily.

Bravo!

Heureusement, je parviens à ramener subtilement le hockey dans la conversation.

Vers 15 h 30, des dames d'Air Transat se postent près des portes d'embarquement. Quand notre numéro de vol résonne dans les haut-parleurs, mon cœur fait quelques tours.

Il est trop tard pour reculer: je m'envolerai très bientôt pour Cuba.

J'essaie de ne pas repenser à l'écrasement tragique dont m'a parlé ma mère, mais juste me dire qu'il ne faut pas que j'y repense, c'est y penser d'une manière ou d'une autre, non?

Une chance que le vol sera court. S'il fallait se rendre à Paris, je ne passerais pas à travers.

– C'est combien de temps, le vol? que je m'informe.

– À peu près quatre heures, répond Normand.

Quoi? Quatre heures? Un avion, c'est pas censé aller vite?

Quelques enfants tout fiers patientent avec leurs parents. Pas un gramme de nervosité apparente.

Tu vois ? Arrête de faire le bébé, il va rien arriver.

Je me sens ridicule. On dirait que je sue du front à force de me tourmenter pour aucune raison.

Lorsque vient mon tour, une dame vérifie mon billet ainsi que mon passeport et me souhaite un beau voyage. Au moins, elle ne me souhaite pas «bonne chance». Ce serait plutôt inquiétant.

De l'autre côté de la porte, le froid me saisit. Je marche le long d'un corridor étroit semblable à une glissade d'eau : la passerelle reliant l'engin à l'aéroport.

Il est définitivement trop tard pour reculer : j'embarque dans l'avion.

Je ne sais pas pourquoi, mais j'aimerais que ma mère m'accompagne. Qu'elle me tienne la main et me rassure. Qu'elle me pose ses mille questions fatigantes si elle le veut. Nous pourrions établir un plan de match pour compléter son casse-tête le plus efficacement possible.

Merde ! Ça me fait penser que j'ai oublié la chaîne de ma grand-mère, que j'ai récupérée au cimetière quand ma tante est tombée dans la fosse où repose mon grand-père. Hier soir, en cachant le bijou sous mon oreiller, je m'étais promis de le porter sous mon t-shirt afin qu'il me porte bonheur.

Bonne chance.

Quelque part au-dessus du continent américain, Jour 1

Pas de doute, le concept est carrément copié.

Chapitre 4

Vol raté au-dessus d'un nid de coucou

C'est officiel : j'ai peur en avion.

J'ai bien dit «en avion» et non «de l'avion», car je suis à bord.

Avec mes parents, le plus loin que je suis allé, c'est au parc Safari. Certains optent pour le bronzage dans le Sud, nous, nous nourrissons des autruches dans notre char. Avant aujourd'hui, j'ignorais que je pouvais avoir la chienne en avion parce que les Boeing, je ne les avais vus que passer dans le ciel. Comme bien des gens, chaque fois que j'en aperçois un, j'essaie de deviner sa destination. Je ne sais jamais si je gagne.

Le pilote vient de marmonner quelque chose dans les haut-parleurs. Occupé à me répéter que la mort doit être une expérience atroce, je n'ai rien compris. Je crois qu'il voulait nous dire qu'il adore le risotto aux champignons et nous souhaiter, du même coup, un agréable vol.

Nous sommes assis dans l'une des dernières rangées, au fond de l'appareil. Maxim est installée à côté du hublot, prête à admirer le paysage, tandis que j'ai pris place deux bancs à sa gauche, une jambe écartée dans l'allée étant donné que nous voyageons à bord de l'avion des sept nains de Blanche-Neige. Normand fait office de crème blanche entre les deux gaufrettes chocolatées d'un biscuit Oreo.

L'avion se met en marche, avance lentement, tourne à plusieurs reprises. Pendant ce temps, les agentes de bord s'assurent que tous les passagers sont attachés.

Je me demande à quoi sert notre ceinture. En auto, elle peut sauver des vies, mais en avion... Vraiment ? Tant qu'à user de prudence, on pourrait porter un casque de vélo, des protège-coudes et un jackstrap. Au pire, si je mourais, on pourrait exposer mes aines dans un musée.

En cas d'écrasement, il ne doit pas y avoir grand-chose à faire outre se convaincre qu'en effet, il n'y a pas grand-chose à faire. Si ça arrivait, j'espérerais être éjecté de l'appareil et être rescapé au milieu de l'océan par une horde de dauphins ou, mieux encore, une sirène.

Sinon, je m'arrangerais pour sauter à la dernière seconde afin d'éviter l'impact au sol. Cette stratégie s'applique aussi lorsqu'un ascenseur brise et tombe en chute libre. Tu attends et, tout juste avant que l'ascenseur se désintègre contre la fondation de l'édifice, tu sautes. Avec une synchronisation parfaite, tu atterris sur les décombres sans une égratignure. Dans ma tête, ça fonctionne.

Mais dans ma tête, il se passe bien des choses. Mes journées sont fort remplies. Je fais du vélo de montagne avec Stephen Curry, j'apprends à Dua Lipa à jouer à *Far Cry,* je fais la mise en scène d'un spectacle de François Bellefeuille, Channing Tatum m'appelle pour me demander des conseils beauté, le Jason des films d'horreur m'accompagne aux glissades d'eau... Je crois que je souffre d'une maladie mentale.

Nous continuons d'avancer. La piste de décollage semble à des kilomètres. Que mon amateur de risotto prenne son temps, je ne suis pas pressé de quitter le sol.

J'offre une gomme à Normand et à Maxim, qui l'acceptent volontiers.

Ma mère m'a tellement fait peur avec son histoire d'oreilles bouchées que je mâche trois gommes Excel avec intensité. Un entraîneur de hockey stressé ne pourrait faire mieux. Si la tendance se maintient, j'aurai besoin de sept jours de vacances pour me relaxer les mâchoires. Puis, ce sera l'heure de remâcher trois gommes pour le vol du retour. Il me faudra alors une autre semaine de vacances pour me remettre de ma semaine de vacances.

– Tu vas voir, les oreilles bouchent pas tant que ça, m'informe Maxim tandis qu'elle me regarde chiquer de manière pas très chic. Tu peux aussi pincer ton nez et souffler dedans.

Elle mime la manœuvre loufoque qui me semble tout à fait dangereuse.

– T'es sérieuse ou tu me niaises?

– C'est vrai, intervient Normand. Mais tu dois y aller doucement.

J'espère.

Ça m'apparaît être la meilleure technique pour se déchirer le tympan. Ça doit être mince comme une feuille de papier, cette peau-là.

L'avion s'arrête.

Une énième vague de stress m'envahit. Est-on en panne? Le pilote a-t-il oublié sa boîte à lunch sur la banquette arrière de sa voiture?

C'est sûr qu'il y a un problème mécanique.

– On se prépare à décoller, me dit Maxim avec le sourire, comme si elle devinait mon inquiétude. Le pilote attend le OK.

Yé! Je suis presque content!

Je tente un sourire en retour. Ça ressemble plus à la grimace d'un usager du transport en commun victime d'un pet sauce.

Les moteurs se mettent à gronder, mon banc vibre. J'ai l'impression qu'il y a le feu sous l'avion. J'imagine les réacteurs d'une fusée crachant des flammes. On dirait que nous allons nous envoler sans élan, d'un coup sec comme une navette spatiale. À l'extérieur, le vacarme doit percer un tympan en un rien de temps. Inutile alors de se pincer le nez et de souffler.

Je jette un œil derrière.

Quand, au moment de s'attacher sur leur siège à l'arrière de l'avion, les agentes de bord font leur signe de croix avant de s'éponger le front, c'est rarement bon signe. Ce n'est pas ce qui se passe en ce moment, mais je les observe de près. Pour connaître les dangers qui nous guettent, il n'y a pas mieux placé que ces femmes directement en lien avec le pilote.

Ce dernier a dû obtenir le feu vert de la tour de contrôle, car l'appareil s'avance en ligne droite et accélère. La vitesse me renfonce dans mon siège. Paralysé, je cesse de martyriser ma gomme et retiens mon souffle.

Ça y est, nous allons nous envoler.

Il serait temps, ça fait dix ans que vous êtes arrivés à l'aéroport!

Une image me revient: la photo de la tragédie aérienne dans *La Presse+,* que ma mère m'a montrée pour des raisons qui m'échappent.

Sous le coup de la peur, mes glandes s'emballent et sécrètent n'importe quoi en quantités industrielles. Le cocktail d'hormones crée une explosion de bizz bizz et de buzz buzz en moi. J'ai chaud, ça me pique, la tête veut m'exploser, j'ai envie de pisser, j'ai mal au cœur. Je présente absolument tous les symptômes d'une personne qui risque un arrêt cérébral.

Tu vas pas mourir. Pas tout de suite, en tout cas...

Au cas où mon estomac flancherait, je répète mentalement les gestes à faire pour récupérer le p'tit sac brun à vomi près de mes genoux, l'ouvrir, puis régurgiter dedans sans alerter les autres passagers. Surtout, ne pas manquer de visou. Ce serait agréable de me rendre à Cuba sans devoir endurer les coulisses nauséabondes de mon absence de courage.

Tu peux pas dégueuler, t'as presque rien dans le ventre. C'est pas comme si tu tournais à l'envers dans un manège.

Mon regard se fixe sur le siège devant moi. La gauche et la droite n'existent plus. Je ne veux pas voir le paysage défiler à travers le hublot. Maxim remuerait un sac de Skittles pour exciter mes papilles que je l'ignorerais. Au diable, les arcs-en-ciel de saveur !

À quelle vitesse roulons-nous ? Cette poussée vers l'arrière est si puissante que je me demande si je serais capable de marcher dans l'allée sous une telle force, si j'en avais la permission. Je crois que je roulerais comme une boule de quilles et que je ferais un abat avec les agentes de bord.

Soudain, un chatouillement me titille la vessie, comme si mes reins l'époussetaient avec un plumeau.

Oh non !

Les roues viennent de quitter le bitume. Je ressens l'ascension. D'instinct, je ferme les yeux.

– On décolle ! s'écrie Maxim, excitée.

Ben oui, regarde donc ça si c'est l'fun !

Agrippant mes appuie-bras à deux mains comme si ma survie en dépendait, je prie pour qu'on ne meure pas dans un *crash* terrible. On sait tous qu'en cas d'écrasement, les appuie-bras sauvent des vies.

Protège-moi, grand-p'pa. Je sais pas comment, mais fais quelque chose.

Très vite, mes oreilles se mettent à capoter. Elles bouchent, je mâche, j'avale, elles débouchent. Elles rebouchent, je remâche, je ravale, elles redébouchent. Ma gomme se fait aller. Mes mâchoires exagèrent les mouvements.

J'ignore si le pilote a l'intention d'atteindre la Station spatiale internationale et de faire un *high five* au bras canadien, mais nous montons sans arrêt.

Bientôt, ma gomme raidie et vidée de sa saveur perd de son efficacité. J'écarte au maximum les lèvres, comme si j'essayais d'engloutir une boule de billard, je presse frénétiquement le p'tit croquant courbé de mes oreilles comme lorsque je me débarrasse de l'eau dans mes conduits en sortant de la piscine. Rien ne fonctionne.

Heureusement, l'appareil cesse de grimper avant de percuter la Lune et mes oreilles retrouvent un semblant de paix. Je recommence à respirer.

Des exclamations de joie fusent dans la cabine. Les passagers se remettent à discuter à voix haute. Ne sont-ils pas au courant que l'avion cubain d'hier s'est écrasé peu après le décollage?

Les moteurs paraissent s'éteindre, puis un bip retentit.

J'ouvre les yeux. Les gens ont l'air trop relax. Ça jase, ça rit. Il y a même un monsieur qui s'est levé et qui se dirige vers les toilettes à l'arrière. Personnellement, mourir la vessie vide ou pleine, ça m'est égal.

– Tu peux te détacher, me souffle Normand.

Il pointe la barre d'information lumineuse où l'obligation de boucler sa ceinture a disparu.

– Tu es tout blanc, est-ce que ça va ? me demande Maxim.

Je pète le feu.

– C'est normal d'être nerveux la première fois qu'on prend l'avion, m'assure Normand.

Il attire mon attention sur mes ongles plantés dans notre appuie-bras commun.

– Tu peux relaxer maintenant.

C'est pas parce qu'on a réussi à décoller qu'on va pas s'écraser tantôt...

– Regarde dehors, m'ordonne Maxim. C'est super beau. Les maisons sont toutes petites !

Je m'étais promis que non, mais pour lui faire plaisir, j'étire le cou et jette un œil à travers le hublot.

Erreur !

Une sorte de vertige me saisit. Mes organes semblent léviter dans mon corps. Je n'ai jamais rien ressenti de pareil. Si, un jour, un manège de La Ronde procure cette même sensation, je me ferai un devoir de m'en passer et de me coller les doigts sur une barbe à papa à la place.

– Voudrais-tu changer de siège avec moi? m'offre Normand. Tu vas pouvoir admirer le paysage.

Va tenir la main de Maxim!

– Non merci, j'ai, euh...

– T'as le droit d'avoir peur, dit Maxim. On rira pas de toi.

– J'ai pas peur, j'ai, euh... pas beaucoup dormi cette nuit, je me sens fatigué. Je vais fermer les yeux.

J'ai zéro sommeil, mais pour appuyer mon mensonge, je tâte de la main gauche le piton pour faire baisser mon dossier. Je me pousse vers l'arrière.

– OUCH!!!! crie une voix grave.

Je relève mon siège et me retourne.

– Attention! gronde un monsieur dont la bonne humeur ressemble à celle d'un faucon aspiré par le moteur d'un Boeing. Tu m'as écrasé les genoux avec ton banc!

Oups...

Si je me fie à la chaleur dans mes joues, je dois avoir le teint du logo d'Héma-Québec.

– Je... euh... excusez-moi, que je bégaye.

Envoie-le promener.

Avec le stress qui me paralyse les neurones, on dirait que j'ai laissé mon sens de la répartie à la maison.

Mes rotules tremblent. Il faudrait que la personne devant moi baisse son dossier à son tour et me les comprime pour que cessent ces secousses involontaires.

– Il y a pas beaucoup de place pour les jambes dans la classe économique, me confirme Normand avec un sourire en coin. C'est pas grave, tu as pas fait exprès.

De la tête, il pointe en direction du bonhomme en voulant dire : «Pas de souci, il va se calmer, il te fera pas de mal.»

Le manque d'espace est corroboré un instant plus tard lorsqu'une agente de bord me défonce le côté du genou gauche avec son chariot en acier blindé.

Je retiens un hurlement. Des plans pour que le pilote fasse le saut, commette une mauvaise manœuvre et...

Reviens-en de tes écrasements d'avion!

– Désolée, je m'excuse, me dit-elle en arrêtant de pousser son carrosse à surprises. Êtes-vous correct?

Mon articulation élance comme si elle s'était sectionnée en deux, mais j'indique à la demoiselle en uniforme que ça va.

– Je vais devoir passer avec mon chariot à plusieurs reprises durant le vol. Faites juste attention de garder vos genoux vers l'intérieur.

Je me sens important : j'ai droit au vouvoiement.

– *Numero uno,* que je rétorque en la montrant de l'index d'un air cool.

Quelle sorte de réponse épaisse que c'est ça? C'est pas tout de suite qu'il faut que tu parles en espagnol!

L'employée distribue des écouteurs à ceux qui en veulent. Une télé de la taille d'un iPad s'est allumée et présente des sketchs de caméras cachées que l'on a vus mille fois en reprise à TVA. Du genre : une madame noire demande à un piéton blanc de surveiller la poussette de son bébé pendant qu'elle va dans la toilette chimique et là, pendant qu'elle est enfermée dans la cabine bleue, un policier en jarretelles sort des buissons et pose des questions au passant. Que fait-il avec ce bébé qui ne semble pas être le sien ? Le monsieur explique qu'il guette le bébé de la dame juste ici, aux toil... Surprise ! La toilette a disparu ! Notre policier à la drôle d'amanchure soupçonne le piéton stressé de kidnapping. Et lorsque le bon samaritain frôle la crise d'épilepsie, la mère sort de nulle part en riant et en pointant les trente-deux caméras super mal dissimulées que notre pauvre victime n'avait pas remarquées.

– Ils distribuent des écouteurs pour qu'on regarde ces niaiseries-là ?

– Non, m'informe Maxim. C'est en attendant le film. La dernière fois, c'était super bon.

Elle flanque discrètement une tape sur le bras de son père pour attirer son attention.

– Tu te souviens, papa, c'étaient des passagers qui avaient survécu à un écrasement d'avion en plein hiver et qui devaient se nourrir des cadavres.

– Ah oui! pouffe-t-il de rire. Ils vont sûrement le rediffuser aujourd'hui. Ça pourrait nous donner des bons trucs.

J'adresse une grimace à l'humoriste à côté du hublot. C'est correct qu'elle se paie ma tête. Signe que son pardon n'est pas trop loin en dedans d'elle.

Normand m'explique que lors de leurs deux derniers périples, chaque voyageur disposait d'un écran télé avec une liste infinie de films et d'émissions.

– On vole à bord d'un vieil appareil, confirme-t-il en observant les alentours. Je pensais pas qu'il en restait en circulation.

Moi qui me sentais déjà pas gros dans mes bobettes, voilà une affirmation qui me rassure au plus haut point. Un vieil appareil n'est pas comme le vétéran d'une équipe de hockey qui a de l'expérience et qui performe aux moments opportuns. Un vieil appareil est un avion qui ne s'est jamais écrasé, mais dont l'heure approche.

On a droit à un film d'animation dont je n'ai jamais entendu parler. Je n'ai pas la tête à regarder la télé. Trop de distractions autour. Quand je regarde un film avec ma mère dans notre salon, j'ai de la misère à me concentrer quand elle tripote le popcorn dans le bol commun. Là, ça bourdonne de partout.

Les agentes de bord travaillent sans arrêt. Je les observe d'un œil attentif et je suis essoufflé pour elles. La distribution des écouteurs à peine terminée, elles passent pour nous offrir à boire, puis, quelques minutes plus tard, distribuent des biscuits. Certains passagers en profitent pour leur faire des demandes ridicules, du genre: «Je prendrais un verre de Sprite avec TROIS glaçons», comme si elles pratiquaient le métier d'esclaves de l'air.

Ce ne serait pas si pire si elles ne travaillaient pas autant à l'étroit. On dirait des brebis dans une cage de perruche. Tout a été pensé pour rendre leur tâche difficile. Et pour ajouter à la longue liste des désagréments, il y a toujours quelqu'un qui veut aller aux toilettes au mauvais moment ou qui fouille dans son sac à dos, le derrière penché dans l'allée, rendant cette dernière impraticable.

Si ça ne dépendait que de moi, je pitcherais un sac Ziploc rempli de cochonneries et de cossins à chaque passager avant le décollage et je leur préciserais: «C'est la première et dernière fois que je passe, tout est dans le sac, achalez-moi pas. Les toilettes sont en arrière et si vous avez mal au cœur, vous pouvez utiliser le p'tit sac brun à vomi devant vos genoux ou le sac Ziploc que je viens de vous donner s'il est vide. Bon vol!»

Dès que je sens la présence de Mireille (je n'ai pas eu droit à des présentations officielles, c'est écrit sur son épinglette), je ramène ma jambe à l'intérieur de mon espace de la largeur d'une table de chevet.

Cette fois, elle vient nous voir pour nous demander si l'on désire profiter du service bistrot, moyennant des frais supplémentaires. Comme nous atterrirons en soirée, et qu'il sera trop tard pour souper à notre arrivée à l'hôtel, Normand accepte et s'occupe de commander.

Je remarque que mes nerfs se sont relâchés. Un sentiment de sécurité commence à naître en moi.

J'ai beau être pissou, ma peur n'est pas totalement injustifiée. Il y a quand même quelque chose de surréaliste à voyager loin au-dessus du niveau du sol. Une sorte de rupture : nous quittons la planète Terre pour la rejoindre quelques heures plus tard. Une escale dans l'espace où nos repères n'existent plus. C'est inquiétant.

Plus loin dans le ciel, Jour 1

Il va-tu arriver, à un moment donné?

Chapitre 5

Rock'n'roll dans la brume

Maintenant que je me sens comme un poisson dans l'eau du haut des airs, je me rends aux toilettes pour chasser toute ma nervosité transformée en urine.

Isolées dans leur petit racoin, Mireille et sa collègue remplissent leurs chariots de produits divers entreposés derrière d'étroites portes métalliques dont l'épaisseur laisse croire qu'elles sont à l'épreuve des balles de fusil. Si un malade se met à tirer partout, les cannettes de limonade San Pellegrino seront à l'abri.

Quand le regard de Mireille rencontre le mien, une question épaisse s'échappe de ma bouche. Il faut croire que je me sens obligé de justifier ma présence.

– Je m'excuse. Les toilettes sont où?

D'ajouter des détails inutiles :

– J'ai tellement bu à l'aéroport, on dirait que je me préparais à traverser le désert.

Et d'en remettre :

– Si je me retiens jusqu'à Cuba, je pense que je vais avoir les yeux jaunes.

Veux-tu ben te la fermer?!!!

J'agrémente le tout du rire idiot dont j'abuse toujours dans les situations malaisantes :

– Hein, hein, hein, hein!

Mireille pousse un petit rire poli, puis pointe les deux portes qui se trouvent à tout au plus trente centimètres de chaque côté de moi. Au cas où ça manquerait de clarté, le mot TOILETTES y est inscrit en quelques langues.

Je me sens obligé de justifier mon imbécillité :

– Oups, on dirait que j'ai besoin de lunettes !

D'ajouter des détails inutiles :

– Il va falloir que je prenne bientôt rendez-vous chez l'optométriste.

Et d'en remettre :

– Une chance que j'avais pas l'intention de lire un roman sur le bord de la plage. Ça irait mal !

Sans oublier mon rire épais :

– Hein, hein, hein, hein !

Vas-y, aux toilettes, avant qu'elle t'expulse de l'avion.

De mon air innocent, je lui souhaite une belle fin de journée et lui demande avec maladresse de bien vouloir recevoir l'expression de mes sentiments distingués, puis ouvre la porte de la largeur d'une planche à repasser.

Le choc !

Je n'espérais pas une salle de bains digne de la Maison-Blanche, mais je ne m'attendais pas non plus à me retrouver dans une armoire à balai. J'ai de la difficulté à fermer la porte derrière moi. C'est clair que les obèses doivent se retenir de faire pipi en avion. Impossible qu'ils entrent ici. À moins de se strapper la bedaine avec du *duct tape*.

Tout est en format miniature : le lavabo, la cuvette, le siège, la lumière, les mille et une indications écrites çà et là. Pour ce qui est de l'odeur de ferme, j'oserais avancer que la personne qui est passée avant moi doit se sentir beaucoup mieux...

Il n'y a pas d'eau dans le fond de la cuvette, que j'arrose de mon pipi jaune foncé. L'éclairage est si mauvais qu'on dirait que je souffre d'une infection mortelle aux reins.

J'appuie sur la chasse. Au fond, un clapet s'ouvre et, dans un carnage semblable à celui produit par un séchoir XLERATOR, mon urine disparaît, aspirée par les ténèbres. Je l'imagine sortir par une trappe dissimulée sous l'avion et tomber vers la Terre. Ceci expliquerait le phénomène des pluies acides...

Juste pour le plaisir de tester le lavabo de Barbie, je me lave rapidement les mains, puis sors. Je croise à nouveau mon agente de bord, qui n'a pas bougé d'un poil.

Parle-lui pas, fatigant !

Perdant le contrôle de ma cervelle, je lui fais une démonstration ratée de floss. Mes bras cognent contre les deux portes des toilettes et je me trouve bien drôle.

– Les allées sont pas larges. Une chance que le floss est pu à la mode !

Qu'est-ce que tu fous ? T'es donc ben sans dessein !

La honte me frappe. J'ai quatorze ans, mais j'ai l'air d'en avoir cinq. La nervosité me fait faire des niaiseries. Sans aucun doute l'influence négative de Tristan.

Va te rasseoir pis tais-toi!

Mireille sourit à grandes dents, mais sans émotion, l'air de se dire: «Cibole qu'il est bizarre, lui!»

Heureusement, mes partenaires de voyage ne m'ont pas vu me ridiculiser. Je leur fais part de ma découverte des toilettes lilliputiennes.

– Je me demande on est rendus où, s'interroge Maxim quelques instants plus tard, alors qu'on traverse un nuage.

Est-ce moi ou, si l'on ne voit rien du hublot, il y a de fortes chances que le pilote vive le même petit désagrément?

– Au-dessus de l'océan, près de la côte est des États-Unis, affirme Normand. Je parierais cinq dollars qu'on est vis-à-vis de la Virginie.

Soudain, je me sens idiot. Plus encore que pendant ma démonstration de floss. Voilà que je vole en direction de Cuba et je n'ai absolument aucune idée d'où ça se trouve. Oui, quelque part dans le Sud, mais où exactement?

Pose la question, c'est pas un secret d'État.

Je n'ai pas envie de devenir la risée générale. À part moi, tout le monde sait où se trouve Cuba. Un argument de plus pour couper les siestes durant mes cours de géographie et plutôt les garder pour les périodes de mathématiques.

Pour éviter de perdre la face, mieux vaut opter pour un subterfuge.

– C'est quoi, la capitale de Cuba? que je demande tout bonnement.

Et ça, c'est censé t'aider?

Il n'y a rien de honteux à ne pas connaître une capitale. Au nombre de pays qu'il y a dans le monde – disons trois cents –, on ne peut pas retenir le nom de toutes les capitales.

Maxim cherche dans sa tête.

– Ah oui. Papa, c'est quoi donc?

– La Havane, répond-il sans hésiter.

Information numéro 1: La Havane est la capitale de Cuba-je-sais-pas-c'est-où.

J'enregistre la nouvelle donnée. Aucune garantie quant à la durée de la mémorisation.

– Je suis pas bonne en capitales, moi non plus, me confie Maxim.

– Moi, à part Ottawa, Washington, Paris pis Rio de Janeiro, j'en connais aucune.

– La capitale du Brésil, c'est Brasilia, me corrige Normand.

Bravo, t'en connais juste trois, finalement.

Ça m'apprendra à vouloir exagérer l'étendue de mes connaissances.

– Et c'est où, La Havane? que je demande, toujours dans l'optique d'avoir une idée de la situation de ma destination sur le globe.

– À Cuba, rigole Maxim.

– Tu veux dire : où c'est sur l'île? précise Normand.

Information numéro 2 : Cuba-je-sais-pas-c'est-où est une île.

Je lui fais signe que oui.

– C'est presque au bout, au nord-ouest de l'île, pas loin au sud de Miami.

Information numéro 3 : L'île de Cuba-je-sais-pas-c'est-où est proche de Miami-je-sais-pas-plus-c'est-où.

Je n'ose pas demander où se trouve cette dernière ville, mais ça m'intéresse. Pas tant que ça, mais quand même. On ne sait jamais quand une discussion à propos de Miami peut surgir :

– *Veux-tu des biscuits soda dans ta soupe?*

– *Oui, s'il te plaît.*

– *Savais-tu qu'ils étaient fabriqués à Miami?*

Je me promets de mener quelques recherches à mon retour, question d'être le seul témoin de mon ignorance. Être inculte est toujours plus agréable en solo qu'en compagnie de la fille de ses rêves et de son père.

– On joue au jeu des capitales, papa! s'excite Maxim.

C'est quoi, ça?

– Aimes-tu la géo? me demande Normand.

– J'adore ça.

Menteur.

Je ne peux quand même pas lui dire que je trouve cette matière scolaire aussi trépidante que l'observation des escargots. Ça refroidirait le climat de camaraderie. Je me le suis juré : ce seront des vacances idylliques. Le sourire imprimé sur mon visage rayonnera vingt-quatre heures sur vingt-quatre. Ne sortiront de ma bouche que des propos positifs.

T'es mal parti.

Normand m'explique les règles :

– Je nomme un pays et c'est le premier qui trouve la capitale qui gagne le point. Si vous vous trompez ou que vous le savez pas, je vous donne un indice. On joue souvent en famille quand on fait de la longue route.

– Nous autres aussi, que je mens.

Du temps que mes parents formaient un couple, ils s'obstinaient tout le long du chemin parce qu'ils étaient trop entêtés pour laisser Google Maps nous guider. Assis à l'arrière, je refaisais le monde, mais ça n'avait rien à voir avec la géo.

Tout opposait mes parents. C'est à se demander pourquoi ils ne se sont pas détestés dès leur première rencontre. Avant un rendez-vous chez le dentiste pour son nettoyage annuel, ma mère, orgueilleuse et fière de sa personne, se désinfecte la bouche avec du Lysol et se nettoie les dents avec une brosse à toilette. Mon père est plutôt du genre à s'organiser une épluchette de blé d'Inde en solo sans se déjaunir les dents par après afin d'éprouver la satisfaction d'en avoir eu pour son argent.

Quel est le but de marier quelqu'un avec qui on n'a rien en commun ? C'est comme si je tombais en amour avec une fille bête qui se lève la nuit pour haïr le sport. Le divorce de mes parents était aussi prévisible qu'un épisode de *Peppa Pig,* mais les adultes n'en sont pas à un mystère près.

Avant que la partie de *Géoubliétouteslescapitales* débute, Mireille nous apporte notre repas servi sous la forme d'une boîte en carton semblable à un repas congelé Michelina's. Je le dépose sur une minitable rétractable fixée au dossier du siège devant moi. Du coin de l'œil, je remarque que mon voisin de derrière a commandé la même chose que nous.

Sous le couvercle s'alignent quelques manicotis baignant dans une sauce tomate. J'ai aussi droit à une boule de pain dans un emballage plastique boursouflé et à un kit d'ustensiles jetables.

Honnêtement, ç'a l'air bon.

– À Cuba, me dit Normand, la bouffe sera pas incroyable. C'est pas leur spécialité. Ça va être mieux que ça (il montre du doigt sa gibelotte), mais il faut pas t'attendre à de la nourriture cinq étoiles.

À moins que Boston Pizza ait sorti une pizza truffes et safran et que je ne sois pas au courant, je ne crois pas avoir jamais fréquenté un restaurant de plus de deux étoiles.

Je goûte à mes manicotis. Délicieux! Normand et Maxim ont l'air de les manger du bout des lèvres.

– C'est pas fameux, hein? me dit Maxim.

– Bof, ça fait la job.

Pourquoi tu le dis pas que c'est super bon?

J'imagine que mes goûts culinaires ne sont pas aussi développés que les leurs. Quand on a une mère qui est aussi habile en cuisine qu'un unijambiste peut l'être à l'épreuve du 110 mètres haies, on se contente de pas grand-chose.

Une fois sur deux, Jojo oublie le spaghetti sur le rond et on se retrouve avec des nouilles du diamètre de macaronis. Ça s'avale sans effort. Ça dégoûte aussi sans effort.

L'autre fois sur deux, elle réalise, une fois les pâtes cuites, qu'il ne reste plus de sauce Classico en conserve, alors nous mangeons du spaghetti blanc avec de la margarine fondue et du sel. Aucun accompagnement: juste des nouilles grasses et salées. Avec du poivre quand on a envie de mettre du piquant dans notre vie. Zéro étoile sur cinq.

En soupant, j'ai l'idée d'abaisser mon banc d'un coup sec afin que les manicotis du monsieur grognon en arrière se renversent sur ses cuisses. Ce serait délirant!

Je dévore mon plat en imaginant la scène cocasse. Mon appétit, mort à l'aéroport, se ranime. Je me reprends pour le demi-panini sec grignoté sans entrain. Même mon pain préemballé y passe.

Je me sens de mieux en mieux. Mon visage a dû retrouver son teint normal. Le vol se déroule en douceur. Ce n'est pas si pire que ça, finalement, prendre l'avion.

Tu t'étais encore une fois énervé pour rien.

– On commence le jeu? s'impatiente Maxim une fois son repas terminé.

– Oui, oui, sursaute Normand, qui avait manifestement oublié la demande de sa fille.

Il s'essuie la bouche avec la serviette en papier fournie par Mireille.

– Quelle est la capitale de... (il cherche dans sa tête) l'Espagne?

En Europe, je connais Londres, Paris et Rome. Est-ce Rome?

Je déteste déjà ce jeu. Ça me rappelle les combats de multiplications que nous imposait madame Béliveau pour humilier les élèves qui n'étudiaient pas leurs tables.

– Madrid? répond Maxim, incertaine.

Je prends les devants avant que son père valide la réponse:

– Ah oui, Madrid! que je m'exclame en faisant semblant que ça me revient. C'est ben trop vrai!

– Exact. Un à zéro pour Maxim. Deuxième: l'Allemagne.

J'ai juste envie d'enfiler mes écouteurs et de me concentrer sur le film de Disney, mais comme je me suis vanté d'adorer la géographie, je n'ai pas le choix.

– Facile, celle-là! s'écrie Maxim en soufflant sa réponse dans l'oreille de son père, mais pas assez fort pour que j'en saisisse quelques syllabes.

Une chance qu'elle n'est pas bonne...

– Je l'ai sur le bout de la langue, que je prétends.

– Veux-tu la première lettre? me demande Maxim.

J'accepte avec empressement.

– B.

Ça m'aide presque.

B? Je connais deux villes qui commencent par cette lettre: Bromont et Brossard.

Peux-tu me donner les huit suivantes?

Mon amie m'offre un second indice:

– Le mur de...

Le mur de...

Le mur de brique?

Espèce de tata!

Pourquoi ai-je accepté de jouer à ce jeu?

Un ding retentit et me sauve de l'humiliation. Le signe de la ceinture bouclée s'est allumé. En conversation avec un passager malcommode qui a bu autre chose que le jus de pommes gratuit quelques rangées devant, notre Mireille nationale se ramène en vitesse à l'arrière, l'air grave.

Mon cœur accélère la cadence comme les doigts d'un guitariste durant un solo.

Ça sent la catastrophe.

– Qu'est-ce qui se passe? que je demande à n'importe qui ayant envie de m'annoncer que tout va à merveille.

C'est le pilote qui me répond, en français et en anglais. Il nous avertit que nous traverserons sous peu une zone de turbulences.

Calvince!

Les deux seuls mots que je ne voulais pas entendre lors de ce vol sont, sans ordre précis: écrasement et turbulences.

Je commençais à avoir du plaisir. Pas au jeu des capitales, mais de façon générale.

– C'est tout à fait normal, me murmure Normand à l'oreille.

Si c'est normal, pourquoi est-ce que tu chuchotes?

L'avion se met à ballotter de haut en bas et de bas en haut. Du Parkinson de Boeing. On dirait que nous roulons sur une route ravagée par les nids de poule.

– Les turbulences, c'est la seule chose que j'aime pas, me confie Maxim.

Moi, c'est pas mal tout, à part les manicotis.

– Pourquoi est-ce que ça branle de même?

– On traverse des espèces de trous d'air, m'informe Normand. Rien de dangereux.

Des trous? Dans l'air? Comment peut-il y avoir des trous dans l'air? Un trou, c'est du vide, et de l'air, c'est pas mal vide aussi.

L'explication de Normand ne me rassure en rien. Au contraire.

«Rien de dangereux.» Va-t-il tenter de me faire gober qu'il s'agit d'un phénomène bénéfique? Désolé, mais on se croirait en voilier au milieu d'une tempête tropicale. La structure de l'avion doit en prendre pour son rhume.

Les secousses sont de plus en plus fortes. Je me recramponne à mes appuie-bras. Des pleurs d'enfants s'élèvent. De mon côté, je ne pleure pas, mais je me dis que si ma vie se termine ainsi, terrorisé à bord d'un avion en compagnie de celle que j'aime, c'est une bizarre de fin.

Surtout que j'ignore toujours le nom de la capitale de l'Allemagne et la position de Cuba sur une carte.

Varadero,
Jour 1

Bon, enfin rendu à Cuba!

Chapitre 6

Disparition mystérieuse

Je suis vivant.

J'ai réussi à passer à travers l'épisode de turbulences sans dommage. Heureusement, il n'y en a eu qu'un. Mon cœur et mes sphincters n'en auraient pas supporté un deuxième.

La sensation bizarre éprouvée au décollage – ce mélange d'angoisse, de malaise et de chatouillement – n'était rien en comparaison de celle ressentie à l'atterrissage. On aurait dit que l'avion chutait en piquant du nez. Perte de vitesse brutale. Nouvellement habituées à l'altitude, mes oreilles ont capoté lors de cette furieuse phase de descente. Encore trois gommes !

Poussés vers la mauvaise sortie, mes manicotis m'ont remonté jusqu'à la gorge, sans heureusement franchir la luette. Mon p'tit sac à vomi est resté à sa place. Une chance : à la grosseur qu'il a, ça aurait débordé. Je ne dis pas qu'Air Transat devrait fournir des sacs bruns de la taille de ceux que l'on trouve dans les épiceries, mais ça prend un juste milieu.

Tout ça est du passé. L'avion est au sol, immobilisé. Il ne peut plus s'enflammer, exploser, se déchirer en deux, se pulvériser. Dire que toutes ces émotions vives reviendront au programme dans sept jours... Je dois en faire abstraction, sinon ça gâchera mes vacances.

Le plus drôle, ce sont les applaudissements qui résonnent de toutes parts. Sur le coup, je ne comprends pas. Cristiano Ronaldo fait partie des passagers et on vient tout juste de s'en rendre compte?

– Pourquoi est-ce que le monde applaudit?

– Ils félicitent le pilote, me répond Normand en tapant lui aussi des mains.

Maxim embarque dans le jeu. Par sentiment d'obligation, j'accompagne le troupeau.

Bravo! On n'est pas morts!

Applaudir le pilote... tu parles d'un geste nono! À l'école, on n'applaudit pas notre prof quand il termine d'effacer le tableau. Le pilote est censé faire atterrir son avion en un morceau, ce n'est pas un exploit. Il s'agit d'une attente de base.

Me semble de voir la face du gars chez Subway qui se fait ovationner après avoir écrasé la viande et les légumes dans le pain. Ou la fille chez Dairy Queen, après avoir mis la *banana* à côté de la *split*.

J'ai déjà été témoin de spectateurs qui applaudissaient à la fin d'un film, au cinéma. C'est encore pire. Comme si les acteurs, à des milliers de kilomètres de là, ne se foutaient pas de leur opinion.

– Félicitations, Leonardo! Superbe performance!

À bien y réfléchir, tant que le prochain pilote me ramène sain et sauf chez moi, je suis prêt à l'acclamer, à laver sa voiture et à lui envoyer une carte de vœux à son anniversaire.

Supporté par des jambes chambranlantes, je sors de l'avion, suivi de Normand et de Maxim. Comme nous étions assis à l'arrière, nous sommes parmi les derniers à descendre les marches de l'appareil, comme lorsque le président des États-Unis émerge de son *Air Force One*. Personne ne nous applaudit, nous.

L'air tropical vient à la rencontre de mes narines. Ça sent le bitume et l'essence, mais aussi les vacances, le sel, la mer.

Guidés par des gardes, nous nous dirigeons vers l'entrée de l'aéroport. L'édifice rouge et orange ressemble à un Super C en faillite. Il y a aussi une partie vitrée pas rapport qui émerge au milieu, comme si on avait inséré un petit immeuble de bureaux dans un centre commercial. L'ensemble donne l'impression d'une bâtisse fabriquée avec des restants de matériaux de quincaillerie.

À l'intérieur, Maxim et Normand s'arrêtent près d'un banc, rangent leur chandail chaud, leur manteau, leurs bas et leurs bottes dans le sac à dos qu'ils avaient déposé dans le compartiment à bagages au-dessus de nos têtes, et troquent le tout contre une paire de sandales en cuir pour lui et des gougounes en caoutchouc pour elle, identiques à celles qu'elle avait brisées lors de nos mésaventures à Ottawa[2].

– Tu gardes tes bottes? se surprend Maxim en s'apercevant que je les regarde, son père et elle, sans bouger.

Je vais quand même pas marcher en pieds de bas.

– J'ai pas vraiment le choix.

– T'as pas apporté de vêtements de rechange? s'enquiert Normand avec un fond de jugement.

Ne se sont-ils pas rendu compte que je n'avais aucun bagage à main?

– Euh... non. Je savais pas. Tout est dans ma grosse valise.

– Ta belle valise fleurie? me rappelle Maxim en riant.

Malheureusement, le sac de Normand déborde et ne peut accueillir mon manteau, tout aussi épais que moi. Dès que je récupérerai ma valise, je me changerai. En attendant, je suis condamné à passer l'Halloween déguisé en Inuit.

Au lieu de m'énumérer toutes les parties du corps à couvrir de crème solaire, ma mère n'aurait pas pu me suggérer de m'apporter un sac à dos contenant mes souliers de sport?

---

2. Voir *Bine 3 : Cavale et bobettes brunes,* le seul roman de langue française dont le titre sous-entend une trace de break.

Certains vacanciers imitent Maxim et Normand et se mettent en tenue plus légère, tandis que d'autres profitent du fait qu'ils ont carrément laissé leur manteau et leurs bottes dans leur voiture à Montréal malgré le froid. Je suis le seul zouf vêtu adéquatement pour affronter la toundra alors qu'il doit faire plus de trente degrés Celsius.

T'as l'air d'un vrai touriste amateur!

Un vieux portant un chapeau quétaine en espèce de paille trouée et une chemise hawaïenne nous croise, tout sourire. Un genre de superhéros du troisième âge bronzé à l'année qui s'est changé dans la cabine des toilettes de l'avion.

Ce qui saute aux yeux pour une personne qui entre dans cet aéroport pour la première fois, outre mon accoutrement d'astronaute, c'est la petitesse de l'endroit, les pots de plantes inutiles un peu partout et les soldats munis de mitraillettes. Ils font tous une tête de moins que moi et ont l'air d'avoir quinze ans, mais leur fusil d'assaut, du type qu'on voit dans les jeux vidéo de guerre, suffit à faire respecter l'ordre et le calme. On est loin du côté cartoonesque de *Fortnite*.

Control de Pasaportes
Passport Control

Arrêt obligatoire. À ce poste, un moustachu blasé au coco dégarni, assis dans une cabine vitrée, pose un tas de questions à Normand et vérifie nos passeports ainsi que des papiers importants que ce dernier a remplis pour nous durant le vol (nom, âge, coordonnées, sorte de céréales préférées le matin, des trucs du genre). Réalisant qu'un malfaiteur se promène rarement avec deux ados, l'employé ne nous cause pas trop de trouble et ne m'adresse même pas la parole. Une chance, car son anglais est approximatif tandis que le mien est plutôt du type «n'importe quoi».

Tous les passagers se retrouvent ensuite autour d'un tapis roulant sur lequel les valises défilent une à une. Les gens empoignent la leur, passent GO, puis réclament deux cents dollars.

Normand attrape celle de Maxim, puis la sienne. Timide, la mienne tarde à se montrer. Attend-elle que toutes les fleurs éclosent? J'ai hâte de ranger mon manteau et de me débarrasser de mes bottes d'astronaute. Même les soldats armés rient de moi derrière leur air sérieux.

Des bagages se succèdent sans arrêt. C'est à croire que nous étions six mille sur ce vol. Mais bientôt, la foule devient un attroupement d'une vingtaine de personnes, puis d'une dizaine, pour finalement se réduire à… nous et le convoyeur qui tourne dans le vide.

Et moi, je n'ai toujours pas ma valise laide.

– Elle va sûrement arriver d'une minute à l'autre, me rassure Normand.

Cinq minutes plus tard.

– Ça m'est déjà arrivé que ça prenne dix minutes.

Quinze minutes plus tard.

– Ça commence à être long. C'est bizarre.

Dix autres minutes s'écoulent. Le tapis s'arrête.

– On dirait que ta valise est pas là, constate Normand.

On dirait, en effet.

– Ils doivent avoir oublié de la mettre dans l'avion, dit Maxim.

Évidemment, ce genre de malchance tombe immanquablement sur moi. J'attire les emmerdes. Quand une mouette relâche sa chiure du haut des airs, elle me vise. Je suis surpris que notre pilote ne se soit pas endormi au volant.

Au comptoir de notre compagnie aérienne, une dame sympathique note le signalement de ma valise, puis nous apprend que celle-ci me sera expédiée directement dès qu'elle aura été retrouvée. Elle nous garantit que toutes les mesures seront prises afin de remédier à la situation rapidement, puis nous demande d'expliquer le problème à la représentante de la compagnie aérienne qui passera à notre hôtel aux deux, trois jours, question que cette dernière puisse assurer le suivi.

Ça sonne compliqué tout ça...

Que vais-je faire en attendant? Aller à la plage en jeans? Normand est trop gros pour me prêter des vêtements, je vais flotter dedans. Ce n'est pas un lutteur sumo, mais disons que lorsqu'il est en bedaine, on ne doit pas voir ses abdominaux. Et à moins de vouloir me baigner en bikini, je peux oublier l'aide de Maxim.

Ta valise est perdue, ils la retrouveront pas.

Comme nous avons manqué l'autobus qui transporte les vacanciers à destination, nous prenons un taxi jaune comme dans les films se déroulant à New York. L'homme ne parle pas un mot d'anglais, mais en entendant le nom de notre hôtel, il répond:

– *Sí, sí.*

Le même « oui » que celui de Tristan.

Après une balade d'une demi-heure les fenêtres baissées, nous débarquons devant le Sol Sirenas Playa. Le chauffeur ouvre le coffre et dépose les bagages sur le trottoir. Normand négocie ensuite le coût du déplacement en langage des signes.

– Wow! apprécie Maxim en tournant sur elle-même.

– C'est débilement beau!

L'hôtel est entouré de palmiers. Comme le soleil s'est couché, les lumières ajoutent au charme de l'endroit. L'édifice principal n'a rien d'exceptionnel, mais le décor est magnifique. Encore plus en ce moment, si on tient compte du fait que, par chez nous, la végétation a la forme de bancs de neige.

– Je vivrais ici à l'année, souffle Maxim.

Avec toi, j'irais n'importe où.

– Je suis partant! En tout cas, c'est spécial de se promener sans manteau en décembre.

Le taxi s'éloigne. Normand nous rejoint.

– Le chauffeur essayait de m'en passer une vite, dit-il, fier du résultat de son marchandage.

– Il est quelle heure, coudonc? que je demande.

Normand consulte son iPhone.

– Il est passé neuf heures.

– Et il est quelle heure au Québec?

– Neuf heures aussi, répond Maxim.

Pose pas toutes tes questions niaiseuses la première journée.

Information numéro 4: Il n'y a pas de décalage horaire entre Cuba-je-sais-pas-c'est-où et le Québec.

À l'entrée de l'hôtel, nous sommes accueillis par une demoiselle absolument magnifique. Sa peau est si foncée qu'elle frôle le noir. Je croyais les Cubains brun caramel comme les Mexicains. Je ne connais vraiment rien à la géographie.

T'es un ignorant.

Elle nous fixe autour du poignet un bracelet orange sur lequel il est écrit SOL SIRENAS PLAYA, puis nous remet trois cartes magnétiques pour ouvrir la porte de notre chambre, ainsi que le mot de passe pour le wi-fi.

– *Have a nice vacation,* nous souhaite-t-elle une fois l'inscription terminée.

Normand nous résume une partie des informations reçues. Il y a sept étages de chambres dans le bâtiment principal (A), où l'on se trouve présentement, ainsi que le bar, le restaurant-buffet et plusieurs autres services. Deux autres pavillons (B et C), plus petits ceux-là, se dressent plus loin sur le terrain, de chaque côté d'une scène de spectacle, et ne comprennent que des chambres. Nous passerons la semaine au rez-de-chaussée du C.

Pour sortir du côté opposé à celui par lequel nous sommes entrés, nous traversons le bar intérieur, où des dizaines d'adultes boivent, rient, chantent et jasent dans la bonne humeur.

Dehors, des chemins en dalles de ciment partent dans toutes les directions. Nous croisons deux restos à la carte (Normand en profite pour m'en expliquer le fonctionnement), un petit bar au toit en paille ouvert uniquement le jour, quelques huttes dont nous ignorons la fonction ainsi que cent palmiers.

Tout au fond du vaste terrain, juste avant la plage, une troupe offre un spectacle festif. Ça danse dans la foule.

Je n'ai jamais vu un endroit avec autant de gens heureux. Comparée à du heavy métal, la musique est plate à l'os, mais je ne sais pas pourquoi, mon épaule suit le rythme. Mon corps est envoûté. La joie est contagieuse.

– Vous venez d'arriver ? nous demande un homme bedonnant, cocktail à la main, dans une tenue qui me rappelle le vieux bonhomme au chapeau et à la chemise hawaïenne aperçu plus tôt à l'aéroport.

– Oui, répond Normand. Finalement !

Le bonhomme doit avoir la cinquantaine. Il est difficile d'évaluer l'âge des adultes parce que dès qu'ils dépassent quarante ans, ils commencent à plisser de partout. Il y a des gens de soixante ans qui ont l'air d'en avoir quatre-vingts.

L'inconnu a la face rouge de celui qui a soit pris trop de soleil, soit bien profité du bar à volonté. Je miserais sur la seconde option tant il nous parle d'un ton familier.

– Moi, c'est Mike.

Tandis que Normand nous présente à son tour, Mike nous serre la main et nous souhaite la bienvenue.

– Vous êtes chanceux en torrieu. On annonce de la super belle température pour demain.

– Ça fait tellement du bien de partir du froid, dit Normand. J'en rêvais depuis l'automne.

La conversation bidon est de courte durée.

– Il est tard, annonce Mike. Je vous laisse aller vous installer. Si vous avez besoin de moi, je vais être au bar, rigole-t-il en levant son verre.

Nous le saluons.

Notre pavillon en bois blanc est bordé d'une haie opaque procurant un peu d'intimité aux vacanciers du rez-de-chaussée. Que ce soit sur les dalles de cet étage ou sur les balcons des deux étages supérieurs, un ensemble comprenant une table carrée et deux chaises en PVC se trouve devant chaque porte-patio, et à compter le nombre de costumes de bain qui y sont étendus, on constate vite que cet ameublement sert plutôt de séchoir à vêtements.

Nous contournons la bâtisse et, une fois de l'autre côté, nous trouvons la chambre C-012, en plein centre.

– Ouf! lâche Normand en ouvrant la porte, un brin déçu. C'est pas comme sur les photos du site internet.

Les murs sont maculés de taches jaune foncé et ça sent le chien mouillé. Comme il s'agit d'un hôtel quatre étoiles sur un maximum de cinq, je n'aimerais pas voir de quoi a l'air un hôtel une étoile...

Au moins, les deux lits doubles décorés de canards en espèce d'origami de serviettes de bain ont l'air propres.

– Les femmes de chambre plient les serviettes en forme de cygne, m'informe Normand, qui lit dans mes pensées. Elles font ça pour se faire du pourboire.

– C'est une drôle d'idée.

Maxim teste la résistance d'un des matelas.

– J'espère qu'il y a pas de coquerelles. Ça m'écœure!

– Elles t'achaleront pas le jour, blague son père.

Une fois le constat pitoyable des lieux fait, Normand et Maxim placent leur valise sous le même lit. Je devine que je passerai la nuit seul de mon côté.

Qu'est-ce que tu croyais? Que Normand allait laisser sa fille dormir en cuillère avec toi?

– Règle numéro un dans le Sud : tu mets rien dans les tiroirs des meubles, me dicte Normand en pointant une commode de bois. C'est la meilleure façon de ramener des bibittes au Québec. Règle numéro deux : assure-toi que ta valise est toujours bien fermée.

Maxim lui rappelle que mon bagage fleuri a été égaré.

– Ah oui, c'est vrai. Demain matin, c'est la première chose qu'on va régler. À cette heure-ci, la représentante de notre compagnie d'aviation doit être couchée. Mais inquiète-toi pas, à midi, max, tu vas avoir récupéré ta valise.

Sur un mur, près du plafond, une trappe crache de l'air glacial dans un vacarme rappelant un char d'assaut de la Deuxième Guerre mondiale. Espérant calmer les élans de la machine infernale, Normand tente de diminuer l'intensité à l'aide du gradateur. Le bouton lui reste dans les mains.

– Bon... Ça va bien ! commente-t-il en riant. Bienvenue à Cuba !

Une fois ses affaires installées, Normand m'incite à donner un coup de fil à ma mère afin de lui annoncer que nous sommes arrivés à bon port et que tout va bien.

– Elle va être contente, dit-il.

Comme son cellulaire est en quelque sorte son deuxième bureau, Normand s'est promis qu'après ce soir, il en éteindrait la sonnerie pour le reste des vacances, en plus de cacher l'appareil au fond de sa valise et de ne le ressortir qu'en cas de besoin.

Je compose mon numéro sur le clavier tactile. Ma mère décroche dès la première sonnerie, comme si elle faisait les cent pas devant le comptoir de cuisine.

– Oui allo?

On dirait toujours qu'elle est essoufflée quand elle répond, comme si elle avait dû grimper les marches de l'escalier deux par deux afin de ne pas rater l'appel.

– Coucou!

– Aaaaaaaaah! s'emballe-t-elle. C'est toi!

– Il paraît que oui.

– J'espérais que tu me téléphones. Tu vas bien?

– Certain! J'avais hâte de te donner des nouvelles.

Un petit mensonge ne fait de mal à personne.

– C'est gentil! Et puis? La route a bien été? Vous avez pas attendu trop longtemps à l'aéroport? Le vol s'est bien passé? Il fait beau à Cuba? Avez-vous une belle chambre?

– Euh... oui, non, oui, oui et non.

Elle me questionne comme ça durant une minute ou deux, puis je profite du fait que Maxim n'a pas encore parlé à sa mère pour couper court à cet appel qui pourrait aisément s'éterniser. Je décrirais chacun des passagers de l'avion en détail que ça captiverait Jocelyne. Elle a cette facilité à se passionner pour tout ce qui est inintéressant.

Maxim téléphone ensuite sa mère, lui résume les dernières heures, s'enquiert de son état de santé, lui dit à quel point elle est contente d'être arrivée, puis remet le cellulaire à son père. Avant qu'il n'engage la conversation avec sa femme, Maxim lui demande :

– Vu qu'on n'a pas sommeil, est-ce que Bine et moi, on peut aller se promener ?

Elle le supplie en sautillant sur place :

– S'il te plaît, s'il te plaît, s'il te plaît !

Dis oui, mon Norm !

Avec ma mère, ce serait un «non» catégorique. «C'est trop dangereux», trancherait-elle. Normand acquiesce en souriant.

– Allez-y, mais venez me rejoindre au bar qu'on a croisé tantôt dans, disons, une demi-heure, d'accord ? Je vais parler un peu à ta mère et après, je vais aller relaxer avec un bon Rhum and Coke. Moi non plus, je m'endors pas.

Maxim remercie son père et lui fait un câlin.

– Tu es contente, ma belle, hein ?

– Mets-en !

Normand s'étend sur son lit, puis colle le téléphone à son oreille.

– Salut, chérie. Comment tu vas ce soir ?

Mon cœur bat à toute vitesse. Tandis que Normand discute, je me dépêche de me libérer de mes bottes d'hiver et de mes bas, roule mon pantalon de quelques tours et enlève mon chandail en coton ouaté. Avec mes jeans bleus, mon t-shirt noir des Cheese Factory Grinders et mes pieds qui sentent le stress, j'ai plus l'air d'un vacancier.

Nous venons d'arriver et déjà l'occasion de me retrouver seul avec Maxim se présente. C'est la preuve que Normand ne nous collera pas aux fesses du matin au soir comme le ferait ma mère poule.

En sortant, je fais attention aux endroits où je pose les pieds. Pas envie de me couper et d'attraper le tétanos.

– On va tellement avoir du fun, cette semaine! que je prédis en levant les paumes vers le ciel afin d'accueillir ce décor enchanteur.

Je me retourne pour consulter le sourire de Maxim, mais son excitation d'il y a quelques instants semble s'être envolée à des milliers de kilomètres.

Mon sang se glace. Mes jambes redeviennent molles comme au moment d'embarquer dans l'avion. Il y a de la turbulence dans mon cœur.

Que se passe-t-il? Jouait-elle la comédie depuis ce midi?

Pensais-tu qu'elle allait te pardonner le temps d'un vol?

Me semblait, aussi, que ce ne serait pas aussi simple...

Elle s'approche de moi, l'air préoccupée.

– Suis-moi, j'ai quelque chose à te montrer.

Chapitre 7

La longue noyade
de Lily dans l'Atlantique

Ciel étoilé, océan d'un calme plat, sable tiède, plage quasi déserte, musique cubaine en arrière-plan : un nouveau monde s'ouvre à mes yeux. Quelque chose de féérique s'en dégage. Mais pour l'instant, je ne peux y goûter, car Maxim a quelque chose qui la tracasse.

Je sais exactement ce qu'elle veut me dire. J'y ai pensé toute la nuit dernière. Ce midi, lorsqu'elle est venue me chercher, elle était de si bonne humeur que j'ai cru qu'elle avait mis l'épisode Lily de côté. Ç'a l'air que non.

Je suis prêt à m'excuser de nouveau. Pas question de l'accuser de quoi que ce soit, même si une partie de la responsabilité lui revient. Je n'aurais probablement jamais frenché Lily si Maxim avait été plus démonstrative quand nous sortions ensemble. Mais pour éviter une autre confrontation, je prétendrai que tout est de ma faute et nous passerons à autre chose. Je l'aime trop pour gaffer encore une fois.

En attendant de cracher le morceau, elle fixe l'horizon comme s'il y avait quelque chose digne d'intérêt au bout de la mer. J'observe le sable mou coincé entre mes orteils.

– C'est la première fois que je vais à la plage, que je murmure après une inspiration profonde.

Le rivage caillouteux d'un lac rempli d'algues bleues ne compte pas dans mon recensement. Je ne peux pas croire que je n'avais jamais traversé les frontières canadiennes. Il était temps !

– C'est pour ça que j'avais hâte de te la montrer. Tu vas voir, le jour, c'est encore plus écœurant. L'eau est turquoise.

Elle pointe le ciel.

– Y'a pas un nuage. Ça veut dire qu'il va faire beau demain et qu'on va pouvoir se baigner toute la journée.

– À moins que ce soit une plage nudiste, je sais pas comment je vais faire sans mon costume de bain.

– Inquiète-toi pas, ta valise va être retrouvée vite. Elle va sûrement t'attendre à la réception à notre réveil.

– J'espère.

Nous nous rapprochons du bord de l'eau, puis nous mettons à marcher sans but précis sur le sable mouillé durci.

– Je suis désolée pour ton grand-père, dit-elle au bout d'un moment, pour combler le silence.

– Merci.

L'éloignement et le dépaysement donnent l'impression que l'enterrement a eu lieu jadis. Or, j'ai porté le cercueil à l'extérieur de l'église pas plus tard qu'hier après-midi. C'est difficile à expliquer, mais j'ai le sentiment que les jours ont pris la place des heures. Traverser autant d'émotions en si peu de temps a déréglé mon horloge interne.

– C'était touchant, les funérailles. Je le connaissais pas vraiment, mais j'ai fini par pleurer comme une folle.

Ma gorge se serre légèrement.

– C'était triste à mourir.

– Je t'ai trouvé bon au micro, me complimente-t-elle. Sauf au début avec tes jokes plates!

Nous rions. Ça me relâche le gorgoton.

– Ouais, disons que j'ai pas mal raté mon introduction.

– Tu t'es bien repris... Comment va ta mère?

– C'est sûr qu'elle est sur le cul, mais j'imagine que ça va passer. Déjà, ce matin, elle était ben énervée avec l'histoire du voyage. Elle m'a pas lâché deux secondes.

– Ça va lui faire du bien d'avoir congé de toi pendant une semaine, sourit-elle. T'es un paquet de troubles.

– Pendant ses vacances, elle s'est donné comme mission de faire un casse-tête mille morceaux.

– Un casse-tête? C'est déprimant au boutte!

– À l'entendre, ç'a l'air d'être son rêve de vie. Le reste du temps, elle va peinturer la salle qui sert à rien au sous-sol. Ça va devenir la chambre de ma grand-mère.

– Elle déménage chez toi ?

– Oui. Je sais pas ce que ça va donner. Elle est pas toute là... Pis toi, ta mère était pas trop déçue quand vous êtes partis ce matin pour venir me chercher ?

– C'est sûr, mais elle en arrache tellement avec sa grippe que ça paraissait pas tant que ça. Elle va se reprendre l'année prochaine. Mes parents ont proposé de retourner à la Riviera Maya.

Bon, un autre endroit que je ne connais pas.

Information numéro 5 : La Riviera Maya n'a rien à voir avec Maya, l'abeille gossante.

– Calvince, vous prévoyez vos vacances un an d'avance ? Ma mère a de la misère à planifier le souper du lendemain.

– C'est pas coulé dans le béton, ils font juste jaser pour jaser. On y est allés il y a quatre ou cinq ans, mais je m'en souviens pas beaucoup.

Je me sentirais plus à l'aise si je ne savais pas que Maxim tourne autour du pot. Mieux vaut l'aider.

– T'es chanceuse. Moi, c'est mon premier vrai voyage à vie. Je suis content que tu aies accepté que je t'accompagne.

– C'est Tristan que tu dois remercier. Je dois t'avouer que ça me tentait pas trop de l'emmener. Je l'adore, mais pas pour l'avoir à côté de moi vingt-quatre heures sur vingt-quatre.

– Donc je suis ton sauveur...

– Tu me voles les mots de la bouche, conclut-elle avant de pouffer de rire.

– Il aurait pu te raconter des bonnes blagues et te poser plein de questions à sept heures du matin !

Elle essaie de reprendre son sérieux.

– Pauvre lui. On est en train de parler dans son dos. C'est pas fin !

– C'est toi qui as commencé !

Elle me pousse, je passe près de trébucher dans l'eau.

– Ah, va chier ! C'est pas vrai !

La conversation bénéficie d'un bel élan. Elle se dirige là où je le désire. Mon but est clair : clore l'épisode Lily une fois pour toutes.

– Je suis quand même étonné que tu aies dit oui.

– J'avais pas trop le choix. Tristan avait déjà fait toutes les démarches. Une chance que mon père avait pris une bonne assurance. Ça lui a permis de faire les changements de dernière minute. En tout cas, je pensais pas que Tristan était ratoureux de même.

– Une vraie boîte à surprises, lui.

Peu importe qui m'aurait invité à Varadero, jamais je n'aurais cédé ma place à Tristan par amitié. Je ne dis pas pour une soirée au cinéma, mais pour une semaine à Cuba ? Pour lui offrir mon billet, il aurait fallu qu'une déneigeuse me passe dessus. Et même là, je me serais loué un fauteuil roulant.

– Chose certaine, ça aurait pas été le fun toute seule avec mon père. Il se baigne deux minutes par jour, vers deux heures de l'après-midi, quand la chaleur est insupportable. Le reste du temps, il boit des drinks et fait la crêpe. Tant qu'à aller à l'eau toute seule, j'aime autant rester à la maison. Au moins, quand ma mère est là, elle se baigne avec moi.

Pensive, elle marque une pause.

Vas-y, vas-y.

– De toute façon, ça m'aurait rien donné de continuer à être en maudit contre toi. Déjà que je suis malheureuse à mon école.

– C'est si pire?

Elle se tourne vers moi, les yeux mouillés.

– T'as pas idée. J'ai hâte de retrouver Amélie à la poly l'année prochaine. On est en train de perdre contact, c'est plate.

– Elle est dans aucun de mes cours. Je la croise à l'occasion, mais on se parle pas.

D'ailleurs, à l'exception de Tristan, moi aussi, j'ai perdu de vue mes chums du primaire. Patate a changé de ville, Thomas et Zachary sont rendus dans un programme de sport-études dans une école privée (pas la même que Maxim). Au final, il ne reste que Simon et Sébastien et ils ont commencé à se tenir avec d'autres gars de leurs cours puisque nos horaires diffèrent. Alors que je pensais conserver mes amis d'enfance toute ma vie, Tristan et moi nous en sommes fait des nouveaux. C'est fou comme tout peut changer si vite!

Comme tes blondes...

Maxim s'arrête, se plante devant moi et me fixe droit dans les yeux. La lune brille juste au-dessus d'elle. Je n'ai pas le temps de le lui faire remarquer.

– Il y a quelque chose que je veux te demander et après, on en reparle plus jamais.

Enfin...

D'un hochement de tête, j'accepte le marché. Ce n'est pas moi qui vais protester. Tout a été dit à propos de Lily et du french qui n'aurait jamais dû avoir lieu. Il ne sert à rien de ressasser le passé.

– Qu'est-ce que Lily avait de plus que moi?

Ouch! Elle a craché sa question empoisonnée comme si elle l'avait en travers de la gorge depuis des semaines.

J'aurais envie de commencer ma réponse par «plein de choses», mais cette franchise serait une incitation à la dispute. Je m'attendais plutôt à une question du genre: «Est-ce que tu l'aimais, Lily?»

Qu'est-ce qu'elle avait de plus que Maxim?

– Rien.

Sa voix se teinte d'impatience:

– Dis-moi la vérité. Je te promets que je me fâcherai pas.

Elle est déjà fâchée.

J'hésite un instant, analyse mes options. Mentir ne m'apporte que du malheur. Je dois briser cette mauvaise habitude.

– Pour être honnête, je la sentais vraiment amoureuse. Elle était super affectueuse. Quand je sortais avec toi, tu...

M'étant promis de ne pas tomber dans le piège du blâme, je mets les freins.

Maxim prend les devants :

– J'étais distante. Je sais.

Cette confidence me déstabilise. Elle vient d'avouer ce que je lui ai secrètement reproché pendant toutes ces semaines où nous jouissions du statut de «couple».

– Pourquoi ?

– On était les meilleurs amis du monde pis du jour au lendemain, on est devenus un couple. J'avais peur de te perdre comme ami si ça marchait pas.

– Moi aussi.

– Je savais pas trop c'était quoi, avoir un chum. Je le sais pas plus maintenant.

Drôle de questionnement. Avoir un chum, c'est l'aimer tout simplement. Je ne crois pas qu'il existe un mode d'emploi.

Arrête de faire ton monsieur mature, t'étais le premier à te poser un millier de questions sur quoi dire, quoi faire, quoi penser.

Elle continue :

– Pis tu vas trouver ça con, mais j'avais l'impression que tu voulais juste qu'on frenche.

Ça, c'est la meilleure !

– Ben non !

Ben oui ! Elle a raison, t'étais obsédé !

– Fallait s'embrasser quand j'arrivais chez toi, quand je partais. C'était rendu que tu refusais qu'on s'amuse avec Tristan. On restait enfermés dans ton cabanon pour s'embrasser.

Elle exagère. De toute façon, c'est ce que les couples sont censés faire. On ne se fait pas une blonde pour jouer à *Mario Kart* en gang!

Pourquoi pas?

– J'aimais ça, t'embrasser.

– Moi aussi. Pas quand tu roulais ta langue, mais après, j'aimais ça. Sauf qu'on faisait juste ça. Un moment donné, plus t'insistais, moins j'avais le goût. Et quand le secondaire a commencé, tu es devenu différent.

– Différent comment?

– Je sais pas.

Elle semble sincère.

– Je pense pas avoir changé. Tout ce que je peux te dire, c'est que j'avais peur que tu tombes en amour avec un autre gars.

– Pourquoi je serais tombée en amour avec un autre gars? C'est toi que j'aimais.

Je ne sais pas quoi ajouter. Elle reprend la parole:

– Si un jour je ressortais avec toi, il faudrait qu'on continue d'être les meilleurs amis du monde comme avant. Moi, des affaires de p'tits couples, je me sens pas bien là-dedans. Y'a pas juste frencher dans la vie.

– Tu as raison.

Vas-y, embrasse-la.

Elle vient de te dire que ça lui tapait sur les nerfs, commence pas!

Question de connaître l'étendue de mon terrain de jeu, j'aurais envie de lui demander quel est le nombre idéal de becs dans une journée, selon elle. Deux? Cinq? Dix? Et si l'on ne se voit pas pendant deux jours, est-ce que les baisers manqués peuvent être récupérés à une date ultérieure?

– Dernière question pis après, c'est vrai qu'on n'en parle pu.

Je sens Maxim hésitante. Elle semble chercher ses mots. Elle finit par cracher le morceau.

– Est-ce que c'est vrai que t'avais l'intention de coucher avec Lily?

Calvince que Tristan est grande-gueule!

– Ark, non!

Je veux bien lui avouer la vérité sur mes sentiments envers elle et Lily, mais pas sur ce sujet. Il y a des limites à l'honnêteté. Je ne pourrai jamais sortir gagnant de cette discussion avec une réponse positive.

Oui, on allait baiser comme des taureaux, j'avais volé des condoms à la pharmacie.

– Tristan m'a dit que tu étais méga motivé pis que tu te vantais de ça à l'école.

– Il délire, lui.

Elle ne semble pas acheter mon mensonge. Avec raison. Pourquoi Tristan aurait-il inventé ce baratin?

– Il a dû comprendre tout croche, comme d'habitude. Lily m'en avait parlé, mais je voulais pas.

Je ne vais quand même pas lui révéler que j'ai traîné une capote extra large sur moi en supposant que c'était ce que désirait Lily en m'invitant chez elle, mais qu'au fond, il s'agissait d'un malentendu, puisqu'en me confiant qu'elle aspirait à «aller plus loin», elle souhaitait plutôt... Elle souhaitait quoi, au juste?

– Un gars qui dit non à une fille, astheure?

– Mais quoi? Ça se peut. Je me sentais pas prêt.

– Je te le dis tout de suite, je suis trop jeune pour ça, m'avertit-elle d'un doigt menaçant. Ça m'intéresse pas du tout. Yark!

Exagère pas non plus! «Yark!» Vas-tu vomir juste à y penser?

Je la rassure:

– Inquiète-toi pas.

Anyway, tu sais pas comment faire, tu pourrais même pas la guider.

Estimant l'heure mentalement, Maxim réalise qu'on a dépassé les trente minutes allouées.

– Faudrait qu'on rejoigne mon père.

Nous rebroussons chemin. La conversation a pris une drôle de tangente. Je ne sais plus trop sur quel pied danser. Ma question sort assez bizarrement:

– Est-ce que ça veut dire qu'on sort ensemble?

Elle me dévisage comme si je n'avais rien compris.

– T'es vraiment con, des fois!

Comment ça, con? Qu'est-ce qu'il y avait de clair dans cette supposée conclusion de conversation?

– Mais quoi? Tu as été de bonne humeur aujourd'hui, et là, t'étais pas contente. Je sais plus trop quoi penser.

– Je suis pas «pas contente». Je me questionne, c'est tout. Ça prend du temps, pardonner.

– OK, mais est-ce que tu m'aimes encore?

– Penses-y deux secondes.

Je me retiens pour ne pas péter les plombs.

– Arrête les énigmes! J'haïs les énigmes!

Elle reste de marbre.

– La confiance, ça se répare pas en dix minutes.

– Dis-moi ce que tu voudrais que je fasse pour te prouver que je t'aime.

– Je sais pas.

Une suggestion me vient instantanément.

– Lance-moi un défi.

– Quoi?

– Lance-moi un défi que je dois relever pour te prouver que je t'aime.

– L'amour, c'est pas un jeu. C'est nono, ton idée!

– Je suis très sérieux.

Voyant que je ne lâcherai pas l'os, elle abdique.

– D'accord, si tu insistes. Trouve-moi, euh... une étoile de mer.

Calvince! Pourquoi pas un piranha rose?

– Comment veux-tu que je trouve une étoile de mer?

– Si c'était facile, ce serait pas un défi. Tu peux laisser faire, t'es pas obligé, c'est niai...

Je la coupe :

– Défi accepté.

Alors que nous sommes à quelques mètres du bar, j'aperçois Normand qui s'esclaffe, verre de Rhum and Coke à la main, en compagnie de Mike le bronzé qui, ma foi, est paqueté ben raide.

Je tire Maxim par le bras. Elle s'arrête.

– Je veux juste être certain d'une chose. Si je te trouve une étoile de mer, est-ce qu'on va sortir ensemble, après ?

Elle secoue la tête, puis pouffe de rire.

– Avoir su, je serais venue avec Tristan !

Je vais prendre ça pour un oui.

Varadero,
Jour 2

*En espérant que le deuxième jour
soit pas aussi long que le premier !*

Chapitre 8

Squeeze-zwiz léopard

Finalement, nous sommes restés au bar en compagnie de Mike une bonne heure. Malgré qu'il se promène en bas blancs dans des sandales de cuir brun et qu'il porte une chemise colorée dont les boutons menacent de lâcher à la prochaine gorgée de margarita, cet homme est assis sur une fortune. Propriétaire de quelques vignobles de renom en Californie et en Italie (nous avons eu droit à un cours accéléré de production de vin), il passe la majeure partie de sa vie sur son voilier à savourer sa liberté. C'était la première fois que je rencontrais un millionnaire.

C'est impressionnant.

Avec un solide verre dans le nez, il nous a raconté avec passion des récits de voyage tellement abracadabrants que j'en suis venu à me demander s'il ne les inventait pas au fur et à mesure pour épater la galerie. Mais les détails étaient si précis que ça ne pouvait pas être le cas. Il n'y a rien qu'il n'a pas fait : il a visité les Incas, rencontré des Pygmées, escaladé le Kilimandjaro, exploré ce qu'il reste des pyramides d'Égypte, serré la main de nombreuses personnalités connues, dont Barack Obama et Scarlett Johansson, qu'il a qualifiée de «plus belle femme au monde». De plus, il se trouvait en Thaïlande lors du gros tsunami de… (il a nommé l'année, mais j'ai oublié), il a engagé George Clooney pour tourner une publicité devant le Colisée de Rome, et j'en passe.

Maxim et moi buvions ses paroles ainsi que du Coke mélangé avec du sirop de grenadine. Un coca-granata, qu'ils appellent. Entre deux anecdotes, j'ai mentionné au Bill Gates des raisins qu'il était étrange qu'il boive autre chose que du vin.

– Le jour où tu vas me voir boire de la piquette cubaine, je te donne le droit de me trancher la gorge, m'a-t-il répondu de son rire gras.

Sur le coup, je suis resté l'air bête, puis je me suis forcé à rire. Une partie de moi voulait plaire à ce millionnaire. J'ai vite découvert que Mike est comme ça : très direct. D'une franchise déstabilisante. Son vocabulaire suit plus ou moins l'étendue de sa richesse. Ne pas savoir qu'il est riche, je dirais que c'est un parfait colon qui se nourrit de hot-dogs en pensant faire un choix santé.

Je ne sais pas si les riches cultivent tous cette tendance, mais Mike aime beaucoup parler de lui et de ses accomplissements. C'est vrai que, si j'étais à sa place, les aventures rocambolesques d'étrangers à la plage d'Oka ne m'impressionneraient pas non plus.

Aux alentours de minuit, alors que le bar grouillait de touristes sur le party, nous sommes rentrés à notre chambre aux traces de moisissure apparentes. Pendant que je me préparais à me coucher, c'est-à-dire en me rinçant la bouche avec de l'eau en guise de brossage puis en me mettant en bobettes, je jalousais Mike secrètement.

Pourquoi lui et pas moi? Pourquoi mon paresseux de père ne s'est-il jamais lancé dans l'industrie du vin au lieu de regarder le golf à la télé le dimanche après-midi?

Si j'étais riche, j'abandonnerais l'école, puis partirais faire le tour du monde avec Maxim et viderais l'Atlantique de toutes ses étoiles de mer.

Une fois au lit, j'étais si crevé de mon vol d'avion et de ma nuit blanche que j'ai vite oublié Mike et mon matelas aux draps ayant un taux d'humidité excessif. À un certain stade de fatigue, quand les paupières s'ouvrent et se ferment toutes seules comme des néons défectueux, les standards baissent. Il aurait pu y avoir des acariens, des puces, des coquerelles, je m'en balançais. J'aurais dormi dans un poulailler en me faisant picorer par un coq mécontent. Même le climatiseur déglingué ne m'a pas empêché de tomber comme une roche.

Je me suis éveillé dans la même position qu'au coucher. Quand on ne bouge pas de la nuit et qu'on n'a aucun souvenir d'avoir rêvé, ça confirme la qualité et la profondeur du sommeil. Seul hic: mon dos courbaturé refuse de déplier complètement.

Je m'assois sur mon lit et m'étire discrètement pour éviter de réveiller mes cochambreurs. Maxim est

123

allongée sur son côté gauche, face à moi, les traits doux, le sourire aux lèvres.

À quoi rêve-t-elle pour avoir l'air si sereine? Ce que j'aimerais m'évader dans son monde de licornes! Dans le mien, en temps normal, c'est cauchemar par-dessus cauchemar, avec une face qui doit ressembler à celle d'une marmotte écrapoutie par un dix-roues. On ne peut pas faire des rêves violents et terrifiants en arborant ce visage candide, de la même façon qu'on ne peut pas se coincer la main dans une souffleuse tout en fredonnant *Au royaume du bonhomme hiver*.

Je repense à notre marche étrange d'hier soir sur la plage. Jusqu'à ce que nous sortions de la chambre, j'entrevoyais une balade amoureuse. J'ai même cru un instant que nous allions nous embrasser. Mais dès que je me suis tourné vers elle après avoir crié sous les palmiers, j'ai su que le passé venait de me rattraper. Maxim en avait gros sur le cœur aux funérailles de mon grand-père et elle n'avait pas enterré sa peine en quittant l'église.

Elle a bien caché son jeu, mais si elle m'a invité ici (ou plutôt accepté ma présence), c'est qu'elle veut arriver à me pardonner, pour ensuite sortir avec moi. Il me reste deux choses à faire: ne pas la brusquer et... lui trouver une fichue étoile de mer! Elle a dit qu'elle trouvait ça idiot, mais je sais qu'au fond d'elle, elle sera impressionnée quand je lui en offrirai une que j'aurai cueillie au bord de l'eau, si la chance me sourit.

Tandis que je me délie la colonne en gelant comme une crotte à cause de ce climatiseur dans le tapis, j'observe Maxim et me dis que la plus belle façon de débuter ma journée serait de lui déposer un baiser sur le front.

Vas-y. Qu'est-ce que t'attends?

Es-tu fou? Fais pas ça!

J'humecte mes lèvres sèches de grand-mère, me lève de mon lit, m'approche d'elle doucement et me penche au-dessus de sa tête. Serais-je capable de lui donner un bec sans la réveiller?

Si je me fie à son rythme respiratoire, elle semble dans une phase de sommeil profond. J'hésite. J'ai beaucoup plus à perdre qu'à gagner.

C'est juste un petit bec sur le front, on te demande pas de lui enfoncer la langue dans une narine.

J'imagine Maxim faire le saut, se redresser d'un coup et me fracasser le nez sans le vouloir; je me viderais de mon sang, puis mourrais au bout de cinq minutes d'agonie.

J'ai tendance à entrevoir le pire...

Et si je lui parlais dans son sommeil à la place? Je pourrais en quelque sorte l'hypnotiser en lui lançant des messages subliminaux qui se fraieraient un chemin jusqu'à son inconscient.

Convaincu de l'absurdité de mon idée, je m'approche quand même de son oreille et murmure :

– Bine est un gars merveilleux. Je l'aime. Il est extraordinaire.

Me sentant ridicule, je m'arrête. De la voir ainsi immobile, j'ai l'impression de parler à mon grand-père dans son cercueil.

Au fond, en quoi est-ce si farfelu ? Quand on y réfléchit, ma démarche a du sens : en entendant à répétition de belles phrases à mon propos, Maxim a plus de chances de se laisser amadouer. N'est-ce pas le but de la publicité ? À force de nous faire laver le cerveau par des annonces prétendant que Tide est le meilleur détergent à lessive, nous finissons par vouloir acheter cette marque. C'est logique. Suffit de remplacer « savon » par « Bine ».

Je poursuis :

– Bine est l'homme de ma vie. Qu'il est charmant avec son sourire coquin ! Je vais l'aimer toute ma vie et rire de toutes ses blagues tellement il est drôle.

Parler de moi à la troisième personne me fait bizarre. Je sonne comme un acteur en entrevue qui parle du personnage qu'il incarne dans le nouveau film à l'affiche.

– Bine est sexy. Il est maigre et pas musclé, mais j'aime ça, des gars sans pectoraux. Des muscles, c'est dégueu. C'est plus beau de la peau pis des os. Bine est le plus beau gars au monde.

Comment vais-je faire pour avoir la confirmation que ma méthode fonctionne? Il n'existe pas dix mille solutions : je dois lui enfoncer une idée vérifiable dans le cerveau.

– Ce matin, j'ai envie de manger de la poutine. Même s'il est tôt, je rêve à de la poutine. C'est bon, de la poutine. Poutine, poutine, poutine, je veux de la poutine.

Les yeux de Maxim s'ouvrent d'un coup.

Je sursaute.

Elle se redresse bien droite dans son lit.

– Qu'est-ce que tu fais là? demande-t-elle, à la fois apeurée et confuse.

Elle a parlé si fort que les voisins doivent l'avoir entendue. Je lui fais signe de baisser le ton en pointant son père qui vient de bouger, visiblement dérangé par la voix de sa fille.

– Rien. Je te regardais dormir.

Elle me dévisage.

– Ça faisait combien de temps que tu me fixais de même, monsieur Creepy?

– Quelques secondes, je te jure.

– Fais pu jamais ça! Tu m'as fait peur.

Je cherche un moyen de m'en tirer adroitement.

Profites-en pour la complimenter, son père ronfle.

– T'es belle comme une fleur quand tu dors. Ça me donne envie de respirer tes pétales.

Ark, t'es donc ben quétaine!

Immédiatement, la honte me gifle. Une fois, deux fois.

À quoi tu pensais, sans dessein?

Je devrais m'excuser auprès de Maxim d'avoir prononcé cette phrase qu'on croirait tout droit sortie d'une pièce de théâtre amateur et lui promettre de ne plus jamais recommencer.

Dans ma superbe analogie, que représentaient les pétales? Ses oreilles? Ses cheveux?

Maxim me dévisage comme si, au lieu de vanter son odeur corporelle, je lui avais dit qu'elle sentait le fond de bobettes de Djokovic après la finale de Wimbledon.

– Donc, si je comprends bien, tu t'es penché pour me sniffer?

Une chance qu'elle a un bon sens de l'humour.

Aussi à l'aise que dans un bal masqué chic, j'abandonne la discussion, marche sur la pointe des pieds jusqu'aux rideaux et les écarte légèrement.

Ça commence mal: il mouille. Avec le climatiseur qui mène du train, nous n'entendons pas les gouttes de pluie.

– As-tu faim? que je lui demande en chuchotant.

– Bof. Un peu. On va attendre que mon père se réveille pour y aller.

– Ça va, je suis pas pressé moi non plus. Qu'est-ce que tu aurais envie de manger?

– Je sais pas ce qu'il y a...

– Admettons qu'il pouvait y avoir n'importe quoi, qu'est-ce que tu aurais envie de manger?

– Aucune idée. Peut-être des crêpes.

– Rien de plus spécial?

– T'es bizarre, ce matin. Tu commences par me dire que tu respires mes pétales pis après, tu veux absolument que je déjeune. Est-ce que ça va?

– Oui, oui, je faisais juste jouer pour passer le temps.

Maxim vient me rejoindre en se frottant les bras.

– Fait froid!

J'écarte les bras pour qu'elle vienne se réchauffer contre moi.

– Qu'est-ce que tu fais? demande-t-elle en fronçant les sourcils.

– Euh rien, je m'étire.

J'effectue une ou deux rotations d'épaule et me secoue le haut du dos afin de rendre le tout crédible.

Maxim se colle le nez à la fenêtre.

– J'espère qu'il pleuvra pas toute la journée. C'est super plate dans un tout-inclus quand il pleut.

Je ne perds pas de vue ma théorie.

– J'espère surtout qu'ils ont plein d'affaires spéciales dans le buffet. Me semble que je mangerais quelque chose de cochon. Pas toi?

– T'es vraiment obsédé par la bouffe. C'est vrai que nos manicotis dégueulasses de l'avion sont rendus loin…

– Pour tout t'avouer, je suis affamé. Me semble que je mangerais quelque chose avec des frites.

– Le matin? Yark!

– On est en vacances. Pourquoi pas?

– Te verrais-tu manger de la poutine à huit heures le matin?

Ça marche! Elle a dit «poutine»!

Avec un peu d'aide...

Cinq minutes plus tard, lorsque Normand se réveille au son de mes éternuements (alerte à l'air contaminé!), la pluie cesse. Ensuite, les nuages gris laissent place à des moutons blancs. Le temps de nous habiller pour aller déjeuner (c'est facile de deviner ce que je porte), le ciel est devenu bleu. Plus aucune trace d'averses. Tout ça en dedans d'une demi-heure.

– C'est souvent comme ça dans le Sud, nous explique Normand pendant que nous marchons vers le pavillon principal. Il pleut le matin, puis il fait beau le reste de la journée.

Ce qui est cool en vacances, c'est que l'heure est de la dernière importance. Il n'y a pas de réveille-matin dans notre chambre et Normand s'est départi de son téléphone. Il peut être sept heures comme neuf heures, je n'en ai pas la moindre idée. Et je m'en fous.

Ça nous change de l'école, qui nous transforme en soldats obéissants. Une cloche nous indique à quel moment changer de local, manger notre collation, aller dîner à la cafétéria, nous asseoir sur notre chaise, rentrer chez nous. C'est tout juste s'il n'y a pas une sonnerie spéciale pour nous dire quand aller pisser. Ici, on fait ce qu'on veut quand on veut.

Ce qui est moins cool en vacances, c'est de devoir les commencer chaussé de bottes d'hiver. Par malchance, Normand n'est pas aussi prévoyant que ma mère : il n'a pas apporté sa garde-robe au complet. Il n'a qu'une paire de sandales, et pas de souliers de rechange « au cas où il ferait frais ». Et malheureusement pour moi, l'accès au restaurant pieds nus est interdit.

Je marche en faisant de drôles de faces en espérant que les regards s'attardent sur le haut de mon anatomie et non sur le bas. Bine de la Tourette. La personne marquée d'une large tache de vin au visage a l'avantage de pouvoir magasiner chez Walmart avec des raquettes aux pieds sans que personne s'en rende compte.

Nous croisons par hasard la représentante de notre compagnie aérienne dans le hall et apprenons qu'une courte réunion a été organisée pour la dizaine de touristes arrivés hier afin de leur fournir des explications quant au fonctionnement de l'hôtel.

Durant son exposé qu'elle connaît sur le bout de ses doigts, Caroline, une fille dynamique dans la jeune vingtaine, nous conseille de profiter des prochaines journées de beau temps, car un système instable nous rejoindra d'ici quelques jours, selon les prévisions. Nous apprenons que les deux restaurants à la carte sont fermés pour cause de rénovation et que seul le buffet est offert cette semaine.

Normand prend ensuite Caroline à l'écart pour lui relater mon problème de valise, dont elle n'était apparemment pas au courant. Elle nous assure qu'elle s'occupe du dossier et qu'elle nous en donnera des nouvelles aussitôt qu'elle en aura.

— En attendant, me dit-elle en montrant du doigt la boutique de la grosseur du local d'hôpital sans nom qui vend des cartes de souhaits, des toutous et des babioles, ça peut te dépanner. Ils ont des vêtements de toutes sortes et c'est pas cher.

À son ton optimiste-mais-pas-trop, je devine que je ne reverrai pas ma valise d'ici le dîner. La bonne nouvelle, selon ses dires, c'est que je risque de recevoir une «compensation» si jamais ça tarde. J'ai hâte d'en voir la teneur. Pour cinq mille dollars, je peux me promener en bottes avec le sourire toute la semaine. Pour dix mille, je suis prêt à marcher tout nu avec deux noix de coco accrochées entre les jambes en comptant mes pas en espagnol.

— As-tu des pesos sur toi? me demande Normand alors que nous nous dirigeons vers la salle à manger.

— J'ai pas un sou.

Maxim m'a affirmé que c'était un tout-inclus, et dans le mot «tout-inclus», il y a «tout» et «inclus», ce qui suggère que tout est inclus. Si on m'avait prévenu que je voyageais dans un tout-inclus-mais-ce-n'est-pas-tout-qui-est-inclus, j'aurais planifié en conséquence.

De toute façon, j'ai appris seulement hier en fin de journée que je m'en venais ici. Avec les funérailles, ma mère n'aurait pas eu le temps d'aller à la caisse, surtout que, selon la seule blague de son répertoire, les institutions bancaires sont ouvertes de 10 h à 10 h 01.

– C'est pas grave, me rassure Normand. Je me chargerai de payer. On réévaluera la situation ce soir si jamais ta valise est pas encore arrivée, mais pour l'instant, on va t'acheter un costume de bain, des sandales et un t-shirt.

– Je peux garder le mien.

– Tu vas mourir de chaleur avec ton chandail noir. Le soleil est fort, à Cuba.

Mes t-shirts noirs attiraient les bibittes au royaume des mouches noires et là, ils attirent le soleil. Finalement, un t-shirt noir de zombie qui se fait couper la tête, c'est zéro pratique. C'est juste beau.

Le déjeuner est offert en formule buffet dans une salle à manger géante qui doit pouvoir accueillir deux cents personnes au maximum de sa capacité. Il y a de tout : des montagnes de fruits, des croissants et dix mille sortes de viennoiseries, des rôtis de bœuf et de porc, des œufs, des trucs louches. Pour ma part, suivant le conseil de ma mère de favoriser les aliments qui constipent, je me remplis un bol de pouding au riz parsemé de raisins secs. Maxim et son père garnissent leur assiette d'une sélection variée. Encore une fois, je ne vois pas pourquoi Normand a critiqué la bouffe. Tout semble bon.

Après avoir mangé plus qu'à notre faim, nous nous dirigeons directement vers la boutique dont les étalages de crème solaire et de jouets de plage occupent la moitié de l'espace. Maxim et moi brûlons d'impatience de sauter à l'eau. Normand, lui, a hâte de pogner le cancer de la peau.

En entrant, Maxim et Normand lâchent un «*Hola*» à la caissière. Je fais de même. Je sais maintenant compter jusqu'à trois et dire bonjour. À moins que *hola* veuille dire «le grand maigre qui marche avec des bottes est pas avec nous».

Quand Caroline, la représentante, nous a informés qu'il y avait des vêtements de «toutes sortes», le «toutes sortes» faisait référence à des guenilles démodées accrochées à des cintres qui débordent des racks en métal. Pire qu'un Winners où il faut fouiller pendant deux heures pour trouver un vêtement potable.

Le désordre fait en sorte que je dois consulter chacune des étiquettes de grandeur. Je porte du *small*. J'ignore si le Sol Sirenas Playa reçoit principalement des Américains, mais c'est la taille la moins courante. L'extra large vole la vedette.

Ce n'est pas compliqué, les mots «Cuba» et «Varadero» apparaissent sur chaque chandail. Maxim me déniche le t-shirt blanc le moins affreux du lot. Sur la poitrine est imprimé le slogan I LOVE CUBA en plusieurs couleurs. Contrairement aux autres vêtements du genre où le mot «love» est habituellement remplacé par un cœur, ici c'est le «i» qui est remplacé par un

cigare allumé. Paraît que c'est la spécialité du pays.
Ça et les t-shirts moches de cigare.

Le ciel me tombe sur la tête dans la minisection
des costumes de bain : ils ne vendent que des Speedo !
Des foutus moule-bananes, aussi connus sous le
nom de *scrotum busters* en anglais et de *testiculos
kapoutos* en espagnol.

Il ne reste qu'un seul cache-coucouilles *small* :
beige tacheté noir.

UN SPEEDO LÉOPARD !!!!

Chapitre 9

Mon cousin tigré

Euh... non! Non, non, non, non, non, non, non, non, non, non, non, non, non, non, non, non, non, non, non, non, non, non, non, non, non, non, non, non, non, non, non, non, non, non, je ne porterai jamais de Speedo de ma vie. Encore moins un Speedo léopard!

– Il est juste sept dollars, se réjouit Normand après avoir converti mentalement le prix affiché en pesos. C'est vrai que c'est pas cher.

«*Juste sept dollars?*»

C'est déjà sept de trop. Un costume de la sorte devrait être gratuit. Correction: il faudrait me payer pour que j'accepte de le porter.

Je répète: Euh... non!

En grimaçant de tous ses muscles faciaux pour éviter de hurler de rire, Maxim tente de me convaincre qu'il n'est pas si pire.

– Une fois que tu vas avoir grillé un peu, ça va être encore plus beau.

– Est-ce qu'il faut que je bronze avec des taches? que je m'informe avec une certaine pointe de frustration.

Pourquoi est-ce que la malchance s'acharne sur moi? Qu'est-ce que la vie essaie de me prouver?

Je me force à faire pitié en laissant mes yeux s'imbiber.

– Je peux pas porter ça, Maxim. Sérieux!

– Tu pourras pas te baigner, sinon.

Je me baignerais volontiers en boxers, mais comment est-ce que je dormirais? Dans mon caleçon humide? Commando dans mes jeans? À poil?

– On peut se passer de baignade une journée.

– Et s'ils retrouvent pas ta valise? Tu passeras pas ta semaine à faire des châteaux de sable en jeans!

Normand intervient:

– Pas de panique dans le *Titanic*! La valise de Benoit-Olivier va être retrouvée. Mais en effet, ça peut prendre un peu plus de temps qu'on pensait.

Il se tourne vers moi et prend l'air de ma mère lorsqu'elle veut me faire comprendre quelque chose par les bons sentiments.

– Tu sais, c'est peut-être pas le plus beau maillot de bain, mais une fois dans l'eau, tu t'en rendras plus compte.

Sans réfléchir, il ajoute:

– C'est vraiment dommage. J'avais mis deux costumes de bain dans ma valise, mais à la dernière minute, j'en ai enlevé un vu que je me baigne presque pas. Avoir su...

C'est le genre de précision qui me fait juste sentir plus mal.

– J'ai une bonne idée, que je dis. Je pourrais porter ton costume de bain et toi, le Speedo.

– C'est vrai que c'est une bonne idée, papa.

Il éclate de rire.

– Bien essayé, mais... non!

Mince prix de consolation: j'ai droit à des gougounes noires unies, comme celles de Maxim, du type qui font souffrir le gros orteil et celui pas de nom à côté.

– Juste trois dollars, en plus! s'exclame Normand.

À la caisse, lui et Maxim se bidonnent «en secret». Je suis censé ne pas me rendre compte qu'ils se paient ma tête. Madame Hola doit se demander ce qu'il y a de si comique. Petit indice: félin africain.

C'est fou comme j'ai hâte d'aller me baigner! Finalement, l'avertissement de ma mère s'avérait pertinent: ça peut être complexant de me retrouver en costume de bain devant Maxim. Si je surgis hors de l'eau en érection dans mon serre-pénis beige tacheté, des astronautes en seront témoins depuis la Lune.

Méchante invention de taouin! En voulant révolutionner le monde du maillot, monsieur Speedo s'est dit: «Tiens, on va créer un genre de caleçon en spandex dans lequel les testicules et le pénis seront tassés comme des saucisses à hot-dog emballées sous vide. Les machos vont se sentir à l'aise du paquet et les femmes vont trouver attrayante la bosse disproportionnée. Et pour accentuer le côté mâle, on va incorporer des motifs d'animaux féroces.» De toute évidence, il a vu juste. Si on en vend, c'est qu'une certaine clientèle en redemande.

– Oh papa! s'exclame Maxim en se penchant vers un présentoir. Une brosse à dents pour Bine!

Elle dépose l'emballage sur le comptoir.

– Merci, que je dis.

Qu'est-ce que je peux répondre d'autre? Au moins, le léopard aura l'haleine fraîche.

Pendant que Normand règle le tout par carte de crédit, je remarque des coquillages allant de petits à immenses sur une table, avec en plein centre cinq étoiles de mer. M'étant assuré que Maxim regarde ailleurs, je les observe discrètement. Elles sont immenses et en parfait état. Prix: quarante pesos chacune. J'enregistre l'information.

– Console-toi, dit Normand en sortant de la boutique avec mes super achats. Tu aurais pu tomber sur un g-string pour homme.

Je m'imagine un instant avec une corde qui me passe entre les fesses. Ce n'est pas compliqué, je resterais terré sous mon lit.

Mon duo comique s'esclaffe jusqu'à la chambre en visualisant mes foufounes à l'air.

Enfermé dans la salle de bains, soucieux de mon hygiène, mais surtout parce que je veux repousser à jamais le moment où je devrai me transformer en léopard, je me claque le brossage de dents le plus approfondi de mon histoire. Mission: venir à bout de toutes les molécules de bouffe emprisonnées. Pour la touche finale, je me rince la bouche avec de l'eau en bouteille, puis crache avec la fraîche impression d'avoir perdu un kilo de tartre.

J'ai réussi à écouler un gros trois minutes, mais maintenant, je n'ai plus le choix, le grand moment est arrivé. Je me déshabille en soupirant, puis retire le reste de mes nouvelles acquisitions du sac.

Je vois déjà les faces de belette de Normand et de Maxim quand je paraderai. Ils ont failli mourir de rire en regardant le costume sur le cintre, je peux imaginer à quel point la comédie prendra des proportions adam-sandleresques une fois l'écrabouilleur de couilles sur moi.

Ha! Ha! Bine, la féline!

Premier constat : le presse-zizi couleur léopard est encore plus laid sur moi. La compensation de notre compagnie aérienne est mieux d'être d'au minimum un million de dollars. L'humiliation suprême a un prix.

Deuxième constat : la taille *small* cubaine diffère de chez nous. Mon magnifique t-shirt, qui rapetissera sans aucun doute au premier lavage tant la qualité laisse à désirer, s'arrête à mes hanches. On dirait un t-shirt bedaine que certaines filles enfilent pour exhiber leurs bourrelets. J'aurais espéré qu'il descende à mi-cuisse et qu'il cache une certaine partie de mon corps présentement mise en évidence.

Rangeant mon ego au fond de mon âme, j'ouvre la porte et sors de la salle de bains vêtu de mon t-shirt I LOVE CUBA, de mon rack à pogo I LOVE LÉOPARD et de

mes gougounes I LOVE TO FAIRE MAL AT THE BIG ORTEIL.
On dirait un costume d'initiation que feraient porter
les vétérans d'une équipe de natation aux recrues.

Maxim a maintenant toutes les raisons de me rayer
de sa liste de chums potentiels. Si au moins j'avais
de quoi remplir mon costume de bain et des muscles
pour donner des formes à ce chandail ridicule, ça
m'aiderait. J'imagine que dans une pareille tenue,
Vin Diesel, un des chauves dans *Fast and Furious,*
aurait un certain attrait sexuel. Des pecs, des abdos et
une Ferrari entre les jambes compensent l'absence de
goût vestimentaire.

Pour ne pas éclater de rire et me faire de la peine,
Maxim me fixe les pieds.

– Sont belles, tes sandales.

Je la remercie avec sarcasme.

– Mets-toi de la crème solaire, dit-elle en essayant
de garder son sérieux.

Pour éviter de croiser le regard de sa fille, Normand
fait semblant d'observer quelque chose par la fenêtre.
Son costume de bain ample rouge, semblable à celui qui
dort dans ma valise fleurie quelque part sur la planète,
lui arrive aux trois quarts de la cuisse. Du genre à se
gonfler d'air quand on entre dans la piscine, donnant
l'impression qu'on lâche des torpilles puantes dans
l'eau lorsqu'on l'écrase ensuite. Pas de danger que
le mien cause des remous, j'ai le sous-marin emballé
dans du Saran Wrap.

De son côté, Maxim porte un une-pièce bleu et jaune, exhibant son amour de l'eau et du soleil. J'aurais préféré un bikini, mais je soupçonne qu'elle n'est pas cent pour cent à l'aise avec son corps qui change. Qu'importe, elle sera à coup sûr la plus belle fille sur la plage.

Pis toi, le gars le plus laid.

De ne rien avoir me fait sentir comme un mendiant. Je quête la bouteille de Coppertone et me tartine grossièrement la face, le cou, les bras, les jambes et les pieds.

Une fois à la plage déjà bondée, Normand rapproche trois chaises longues et emprunte pour chacun de nous une serviette blanche dans un coffre libre-service prévu à cette fin. Des vacanciers de toutes les nationalités et de toutes les langues arrêtent leur activité pour juger mon sculpte-asperge. Il ne faudrait pas que je sois surpris de me retrouver sur les réseaux sociaux.

Normand nous fait part de son plan de match élaboré : s'étendre sur sa chaise et ne plus bouger jusqu'au dîner.

Pourquoi les adultes veulent-ils bronzer ? D'où vient ce désir de se brunir la peau ? Personnellement, ça ne m'est jamais arrivé de me réveiller en souhaitant avoir les bras plus foncés. J'ai beaucoup d'autres aspirations. Ça me fait réfléchir à deux trucs bizarres : y a-t-il des Blancs racistes adeptes de bronzage ? Et est-ce que les Africains mettent de la crème solaire ?

– Premier rendu à l'eau! s'excite Maxim en se débarrassant de ses gougounes de deux coups de pied.

J'enlève mon t-shirt évoquant mon amour pour les cigares et cours en direction de l'eau, aussi belle que ce que Maxim m'a promis hier soir lors de notre promenade. À la vitesse d'un guépard, mon costume léopard et moi la dépassons. Courant trop vite pour la résistance de l'eau, je trébuche et tombe tête première, avale une gorgée qui goûte la mort et m'étouffe. Mon pouding au riz remonte immédiatement.

– YARK! que je crie après avoir repris mon souffle. ÇA GOÛTE DÉGUEULASSE!

Maxim est crampée.

– C'est normal, c'est de l'eau salée. Je pensais pas que ça courait si vite, un léopard! Il va falloir t'appeler Speedo Gonzales!

Je m'approche de celle qui se moque trop de moi à mon goût, la saisis à deux mains et la lance à l'eau. Elle émerge, puis saute sur moi à son tour. Nous luttons sous l'eau. J'ouvre les yeux, mais ne vois rien. Nous surgissons à la surface. Je lui montre mes biceps pour lui souligner mes talents de pugiliste.

– Ouh, c'est impressionnant! me nargue-t-elle.

Mon regard s'attarde vers la plage. Normand discute avec Mike.

Je rêve où il porte un costume de bain quasi identique au mien?

– As-tu vu? Mike a un Speedo tigré, remarque Maxim une fraction de seconde après moi. Vous formez un beau couple!

Un millionnaire avec un Speedo? Il faut croire qu'il investit son argent ailleurs que dans les vêtements.

Faisant semblant d'être fâché, je me jette sur Maxim. Durant notre combat amical, ses lèvres entrent accidentellement en contact avec les miennes. Je trépide de la tête aux pieds, particulièrement du bas-ventre. Cette vague de bonheur me confirme que je ne pourrais pas sortir de l'eau en cet instant précis. Ma mère faisait preuve de clairvoyance.

Chapitre 10

L'identité secrète
de Bonita Chica

Le paradis.

La plage de sable blanc s'étend à perte de vue. L'océan turquoise ne semble pas avoir de fin non plus. La rive opposée est dans une autre galaxie. On est à des années-lumière des trois mètres carrés de sable d'un camping à roulottes situé aux abords d'un étang déguisé en lac et d'une sortie d'autoroute agrémentée d'un Tim Hortons.

Maxim et moi marchons sur le fond sans algues et parsemé ici et là de coquillages qui s'enfoncent dans le sable mou dès qu'on pose le pied dessus. L'eau nous arrive respectivement à la poitrine et au nombril. Nous avançons petit à petit vers la partie plus creuse, et nous arrêtons juste avant d'atteindre le récif de corail, contre lequel on nous a mis en garde.

Je n'ai jamais vu de corail de près, mais Maxim m'a prévenu que ça coupait. Elle m'a aussi appris que, malgré ses airs de roche, il s'agissait d'un animal. Ça reste à vérifier.

En sautant à l'eau – plus chaude que celle d'une piscine en juillet –, je m'attendais à voir au loin des voiliers braver le vent et des surfeurs défier les vagues. L'océan, calme comme un étang vaseux où les grenouilles font la grasse matinée, n'est peuplé que de baigneurs, principalement des enfants en extase ainsi que deux ados : l'un amoureux et l'autre on ne sait pas trop.

Je savais aussi que l'eau était salée (je ne suis pas inculte à ce point), mais j'ignorais que le taux de sel était si élevé. En fait, il y a plus de sel que d'eau ! D'où vient-il ? Il n'y en a pas dans les lacs et les rivières, ni, à ma connaissance, dans les fleuves. Si tous les cours d'eau se jettent à la mer, apparaît-il en cours de route comme par magie ? Abracadabra, voici du sel !

Maintenant que mon costume de bain est à l'abri des regards, je n'ai plus aucune raison de sortir d'ici. Je devrais dormir dans l'Atlantique. En ne voyant pas mon imprimé de léopard, les touristes et Maxim n'aperçoivent qu'un grand maigre. Et ça, je ne peux pas y faire grand-chose, à part vider le buffet à chaque repas et continuer de susurrer à l'oreille de Maxim durant son sommeil que je suis la plus belle créature masculine de l'humanité.

L'océan est paisible, mais pas Maxim et moi. Rots sous l'eau, phrases à deviner, bataille, arrosage, nage synchronisée pour les nuls, concours de celui qui retient son souffle le plus longtemps, chatouillage de mollets : nous nous amusons comme autrefois. Pas de cassage de tête. Juste du fun à l'état brut. Tellement que j'en oublie que je lutte pour redevenir son chum.

Le temps ne compte plus, le temps n'existe plus. Devant autant de bonheur, j'aurais envie que Maxim et moi nagions vers le large jusqu'à une île déserte où nous vivrions heureux le reste de notre vie, sans école, tâches ménagères ou parents pour nous dire quoi faire ou ne pas faire.

Le vrai paradis.

Évaluer l'heure du jour en me fiant à la position du soleil ne fait pas partie de mon arsenal de compétences, mais lorsque nous sortons de la mer pour aller chercher de l'eau en bouteille à l'un des bars, question d'éviter de faner par en dedans, j'estime que nous nous sommes baignés pendant deux heures sans arrêt.

Petit truc de pro à ajouter dans mon guide du parfait vacancier : quand on porte un costume de bain ridicule, mieux vaut s'attacher une serviette autour de la taille avant d'aller se promener, ce que je fais avec empressement dès que j'atteins ma chaise longue. Chaque seconde sans que mon presse-panini de la savane soit visible est une seconde de réjouissance.

Normand dort. Une sieste en avant-midi, il faut le faire ! J'enfile discrètement mes gougounes, mais tire un trait sur mon t-shirt quétaine. Sécher en bedaine demeure la meilleure façon de ne pas bronzer avec une démarcation au milieu des bras. Pas besoin de membres zébrés en plus !

Avec mes gougounes inconfortables et ma serviette blanche enroulée comme un wrap de pain pita, j'ai l'air d'un mononcle à son aise dans sa cour arrière. Je m'en fiche un peu. Depuis notre arrivée à Varadero, je m'aperçois que les gens en vacances laissent la mode chez eux. Le fatigant que ma mère aime détester et qui critique la tenue des passants à la télé s'en donnerait à cœur joie.

Il n'y a pas que mon sac à lunch léopard et les bas blancs dans les sandales de Mike qui clochent. Les élégants messieurs qui s'attachent un sac banane à la taille nous surpassent. Que mettent-ils là-dedans? Leur collation? Et au top de la pyramide du mauvais goût figure un touriste dont j'ai vite deviné les racines québécoises sans qu'il ait à ouvrir la bouche. Sur son t-shirt, dont l'imprimé représente un pêcheur buvant une bière à bord de sa chaloupe, figure le slogan CHU EN VACANCES, FOUS-MOÉ LA PAIX! Comme quoi il n'y a que chez les animaux que les mâles paraissent mieux que les femelles...

Chez les femmes, ça fait un peu moins dur, mais j'ai quand même repéré un bikini trois tailles trop petit dont débordaient généreusement les fesses et les seins mous de sa propriétaire, et un une-pièce Budweiser porté par une fille ayant la *shape* d'une bouteille de bière.

Les touristes sont mal habillés, mais comme ils sont à des centaines, voire à des milliers de kilomètres de leurs voisins et amis, ils n'en ont rien à cirer du jugement des inconnus. Un styliste flairant la bonne affaire ferait plutôt faillite.

Peu importe le look négligé des autres, ça ne me donne aucunement le loisir, par respect pour Maxim et pour moi-même, de me promener le fusil en évidence dans son étui. Ma serviette m'offre un bouclier plus que nécessaire. Lorsque ma copine racontera ses vacances à ses proches, j'aimerais qu'elle se souvienne d'autre chose que du bâton de dynamite indésirable qui se cache dessous.

– *Il a fait super beau, maman. C'est dommage que tu aies pas été là. Je me suis baignée toute la semaine avec Bine. La seule chose plate, c'est qu'on voyait la bosse de son pénis dans son costume de bain laid. Ça me mettait hyper mal à l'aise.*

– *Je te comprends. Sinon, tout était parfait?*

– *Oui, y'avait vraiment juste le pénis.*

– *Avez-vous pris des photos?*

– *Des dizaines, mais on les a toutes effacées. On voyait le pénis de Bine partout.*

Au bar du pavillon principal, une horloge à aiguilles géantes nous annonce que midi n'a pas encore sonné. Pourtant, quelques touristes sur le party célèbrent en levant leurs verres remplis de cocktails. Mike est là, en Speedo tigré, avec d'autres Québécois. Pas très dépaysant. Il nous salue chaleureusement avant de poursuivre la blague aussi salée que l'océan qu'il raconte à ses spectateurs hilares.

Lorsque le barman lui lance un «*hola*», Maxim prononce le mot «*agua*» en mimant quelqu'un qui boit, puis ajoute le mot «*tres*», l'équivalent de mon «troiso». Le Cubain sympathique derrière le comptoir n'a aucune difficulté à la comprendre. Il se penche, ouvre un frigo et lui tend trois bouteilles froides.

– *Gracias*.

Je respecte la consigne de ma mère:

– *Graciââss*.

Sur le point de repartir, je remarque la liste des cocktails offerts imprimée en petit sur un présentoir en plastique transparent. À la troisième ligne, un drôle de nom attire mon attention: SEX ON THE BEACH. Qu'est-ce que c'est que ça? Le nom Rhum and Coke laisse peu de place à l'imagination. C'est du rhum et du Coke. Il n'y a personne qui tombe en bas de sa chaise en recevant son liquide brun-noir. Mais qu'y a-t-il dans un Sex on the Beach? Du sexe et de la plage?

En repartant, nous croisons un cuisinier poussant un carrosse rempli de desserts.

– *Hola*, dit-il en nous laissant passer.

Ce n'est pas compliqué, tout le monde se dit «*Hola*» à Cuba. Ça fait penser qu'au Québec, on est bêtes comme nos pieds. Mais en même temps, j'aime pouvoir mettre les vidanges au chemin sans devoir saluer mes douze voisins.

Nous retournons à notre chaise et calons notre bouteille d'eau. Normand ronfle. Pendant la baignade, il faisait chaud, bien sûr, mais je ne m'étais pas rendu compte que le soleil brûlait. On dirait que ma peau cuit. Un carré de beurre fondrait dessus.

– As-tu mis de la crème solaire sur tes épaules? demande Maxim, qui remarque mon auto-examen cutané.

– Non, j'avais mon t-shirt.

– Mais là, tu l'as pas.

Euh... En effet.

Quelle drôle d'observation!

– Tu as des coups de soleil, clarifie-t-elle.

De l'index, elle pèse sur ma peau.

Ouch!

– C'est pas si pire que ça, que je mens.

– Viens, on va aller te mettre de la crème solaire avant qu'il soit trop tard.

Nous abandonnons notre paresseux et retournons à la chambre. À l'intérieur, le ménage a déjà été fait. Deux cygnes en serviettes pliées veillent sur nos lits. Maxim profite de l'escale pour s'accorder une pause pipi.

– Ayoye! s'exclame-t-elle de l'autre côté de la porte. J'ai à peu près un litre de sable dans le costume de bain.

– Ah oui? Comment ça?

– Parce qu'on s'est baignés, toto!

– Non, je veux dire... euh...

Ouin, tu veux dire quoi?

– Est-ce que je peux voir?

Un silence, puis:

– Ben, euh... non!

Épais, tu lui demandes de la voir toute nue!

153

Honteux, j'essaie de me reprendre :

– C'est pas ça que je voulais dire.

– Et tu voulais dire quoi ? ricane-t-elle.

Je cherche un instant, puis, bouché, réponds :

– Un chasseur sachant chasser sait chasser sans son chien.

Elle éclate de rire.

– Ah OK, je comprends mieux !

Elle sort, me donne une pichenotte affectueuse sur la poitrine, puis j'entre à mon tour. Mon épouse-asperge doit être trop serré : à peine quelques grains de sable ont réussi à s'infiltrer. Pas de quoi remplir un sablier.

Je ne connais rien à l'anatomie féminine, encore moins à propos de son mode d'entretien, alors je m'interroge : qu'est-ce qui arrive quand des grains entrent par en dedans ? Chez nous, les gars, le trou est trop petit, mais qu'en est-il pour les filles ? D'abord, est-ce possible ? Si oui, comment font-elles pour les enlever ? Est-ce qu'ils restent là ? Est-ce nuisible ?

Ben oui, ça mijote là deux ou trois mois pis après, les filles pondent des perles.

Ayant dépassé mon quota de questions stupides à l'aéroport, je me promets de garder mes interrogations pour moi. Mais il reste que ça me fascine et je sais pertinemment que mon guide poche de la puberté que j'ai balancé au recyclage n'en faisait aucune mention. Je ne pense pas que Chose Bine qui écrit *Léa Olivier* ait pensé au chapitre «Si jamais ta blonde a du sable pogné dans le schnauzer».

Avant de sortir de la salle de bains, je m'assure d'enrouler solidement ma serviette autour de ma taille. Avec la délicatesse d'une boulangère qui roule sa pâte, Maxim m'enduit le dos de crème censée me protéger des dangers des rayons UV. Elle appuie fort à certains endroits en ajoutant chaque fois «T'es rouge, là».

– Tu vas avoir mal ce soir, insiste-t-elle, comme si elle tenait mordicus à ce que je souffre. Avoir su, on t'aurait dit de t'en mettre partout.

– Vous étiez trop occupés à vous foutre de ma gueule.

– Je vois pas de quoi tu parles, rétorque-t-elle, pince-sans-rire.

Pendant que nous continuons de nous badigeonner chacun de notre côté, je ne peux m'empêcher d'admirer du coin de l'œil le corps de ma blonde, qui a beaucoup évolué ces derniers mois. Pour le mieux.

Ses seins, quoiqu'écrasés par son costume de bain, semblent être passés de la taille «Whippet» à «Ah Caramel!». Ses hanches ont élargi, tandis que ses fesses ont légèrement bombé. Elle devient une ado magnifique, mais je m'imagine mal la complimenter sur ses atouts physiques sans avoir l'air d'un pervers.

– *Je te regarde pis, euh... t'as vraiment des belles boules!*

À moins d'user de ma poésie poche de ce matin.

– Tes deux pistils orientés vers le soleil me donnent envie de me transformer en abeille et de les butiner.

Je me demande ce qui nous allume tant, les gars, avec les poitrines. Mes amis et moi passons notre temps à nous imaginer les seins des filles (surtout celles de secondaire cinq) à travers leurs chandails et leurs blouses. Plus ils sont gros et plus nous virons débiles. Pourtant, ce ne sont que des bosses de gras recouvertes de peau avec une tétine rose au bout. Quand on y pense, c'est plus qu'ordinaire.

Arborant un look de culturistes enduits d'huile, nous repartons rejoindre Normand qui se réveille doucement de son dodo.

– Est-ce que l'eau est bonne? se renseigne-t-il en s'étirant.

– Faudrait que tu demandes à Bine, c'est lui qui en a bu, ricane Maxim en faisant référence au bouillon que j'ai pris en trébuchant. L'eau est chaude, tu devrais y aller.

– Plus tard, je relaxe.

– C'est vrai que ça exige énormément d'énergie, se laisser flotter dans l'eau, ironise-t-elle.

– Exactement. Après dîner, peut-être.

– On vient de se remettre de la crème solaire, est-ce qu'on peut aller se promener avant de retourner se baigner?

156

Il fait signe que oui, remarque la bouteille d'eau à ses pieds, la cale à moitié, puis nous annonce qu'il compte s'accorder une seconde sieste à l'instant.

– Oh, t'es rouge, toi! s'exclame-t-il à mon intention en plaçant sa main en visière devant ses yeux pour se cacher des rayons du soleil. Tu devrais porter ton t-shirt même si tu t'es remis de la crème solaire.

Je pense que je commence à le savoir!

À contrecœur, je suis son conseil, puis Maxim et moi déguerpissons.

À une trentaine de mètres, une partie de volleyball de plage s'organise. À l'aide d'un porte-voix, un animateur dynamique recrute des joueurs dans les environs. Maxim et moi partageons une haine farouche envers ce sport ennuyant, alors c'est sans hésiter que nous déclinons l'offre.

Nous poursuivons notre expédition. J'aurais tellement envie que nous marchions main dans la main!

– Il dort donc ben ton père, coudonc!

– Il fait juste ça en voyage. La semaine, il se lève de bonne heure et la fin de semaine, il travaille sur le terrain. On dirait qu'en vacances, il a mille heures de sommeil à rattraper.

– Ma mère aussi, elle dit toujours qu'elle a des heures à récupérer.

– Nos parents sont bizarres, conclut-elle.

Je déteste m'endormir en plein jour. Je ne parle pas de quelques minutes à l'école pendant qu'un prof gazant déblatère en avant, mais d'un vrai dodo de plus d'une heure. Ça m'est arrivé quelques fois par erreur et chaque fois, je me suis réveillé avec un mal de cœur et un mal de tête, victime de cette confusion terrible de ne pas savoir si on est la nuit, le matin ou le jour. Rendu à minuit, j'avais les deux yeux grands ouverts parce que j'avais trop dormi durant la journée. Alors le lendemain, j'étais tellement scrap que je me devais de piquer une sieste, sans quoi je n'allais pas survivre jusqu'au souper. Si les adultes aiment bousiller leur cycle de sommeil, c'est leur affaire.

La plage devient vite répétitive : des vendeurs de colliers fabriqués à la main, des couples de tous âges qui se font bronzer côte à côte, des parents qui essaient de faire de même, mais qui se font déranger par leurs enfants qui veulent leur montrer le château de sable rudimentaire qu'ils viennent de construire, des vendeurs de bracelets fabriqués à la main, des gars aux abdos découpés qui se lancent un frisbee en cherchant à épater les belles filles qui se promènent en gang, ces mêmes belles filles hystériques qui font semblant de ne pas reluquer les joueurs de frisbee aux exclamations tribales, des vendeurs de chapeaux fabriqués à la main.

– C'est fou comme les gens sont gros, remarque Maxim avec désarroi, alors que nous passons devant monsieur et madame Patate en compagnie de leurs deux enfants d'à peu près huit où neuf ans plus pesants que moi. J'ai l'air d'une frite McDo à côté d'eux.

– C'est dégueulasse.

– C'est pas dégueulasse, me corrige-t-elle. C'est triste. Regarde!

Elle me désigne les gens qui profitent du soleil tout autour et, ma foi, une personne sur trois a des pneus de graisse autour de la taille. La convention annuelle des bonshommes Michelin.

– Comment tu peux grossir de même pis rien faire?

Attends, je vais aller leur demander.

Je pars à rire.

– Pourquoi tu ris? s'indigne-t-elle.

– Parce que c'est drôle.

– C'est pas drôle, que je te dis. C'est super triste!

– OK, veux-tu qu'on pleure ensemble, d'abord?

Elle secoue la tête en souriant.

– T'es con!

Nous revenons sur nos pas et décidons de nous aventurer sur la rue principale, par laquelle nous sommes arrivés hier soir en taxi.

Devant notre hôtel, j'aperçois deux bestioles grisâtres au pied d'un palmier.

– Des lézards! que je m'exclame avec un surplus de surprise.

Je n'en ai jamais vu ailleurs que dans un vivarium. En y regardant bien, je m'aperçois qu'il y en a un peu partout. L'équivalent de nos écureuils.

– C'est pas des lézards, me corrige Maxim. C'est des iguanes.

C'est quoi la différence?

Information numéro 6 : Le lézard et l'iguane sont deux entités Ô COMBIEN différentes.

De l'autre côté de la rue s'alignent une dizaine de scooters. Deux ados locaux assis à une table sous un parasol usé à la corde s'occupent du kiosque de location.

– Ça serait cool! s'excite Maxim en s'approchant de la pancarte explicative rédigée en anglais et en espagnol.

– On n'a pas l'âge.

– Tu as quatorze ans, non?

– Oui, mais pas toi.

– Ils le savent pas. On a juste à dire qu'on a quinze ans.

– Et s'ils veulent voir nos passeports?

De quoi t'as peur?

– Relaxe et suis-moi!

Nous allons à leur rencontre et s'ensuit un enchaînement de salutations.

– *Hola.*

– *Hola.*

– *Hola.*

– *Hola.*

– *Hola.*

– *Hola.*

– *Hola.*

– *Hola.*

Dans la confusion, je crois même avoir salué Maxim.

L'un des deux gars lui garroche un exposé en espagnol. Voyant qu'elle réagit autant qu'un lézard (ou un iguane, on se souvient à quel point c'est différent) sur une branche, il lui demande :

– *English* ?

– *Yes,* lui répond-elle.

Il lui répète son baratin, mais avec un accent si fort que je dois me forcer pour y détecter un semblant d'anglais. Il lui mime le nombre quinze avec les doigts.

– Je pense qu'il faut avoir quinze ans, que j'indique à Maxim.

– Ça coûte quinze pesos, me contredit-elle.

– Est-ce que c'est beaucoup ?

– Aucune espèce d'idée, mais j'ai de l'argent américain dans mon portefeuille. Ma mère m'a donné le sien. Je suis certaine qu'on en a en masse.

Insistants, les deux gars nous incitent à nous asseoir sur les scooters. L'un d'eux tire même le bras de Maxim. Il est doux dans ses gestes, comme s'il essayait de la séduire. Au cas où il n'aurait pas remarqué, je suis son futur chum.

Calvince que t'es jaloux ! C'est fatigant !

Maxim se laisse amadouer et prend place sur un scooter rouge, le modèle le plus récent du lot. Après avoir relevé légèrement ma serviette pour ne pas gêner mes mouvements, je l'imite. Je saisis le guidon de mon bolide, prends appui sur mes pieds, puis nous visualise sur la route, au coucher du soleil, alors que nous traversons l'île de Cuba en criant de joie. L'aventure d'une vie. Puis, venu de nulle part, un camion nous fauche.

– Wow, il faut absolument qu'on aille se promener! rêve celle qui doit s'imaginer un scénario dont la conclusion diffère de la mienne.

– On n'a jamais conduit ça. Ça doit être dangereux. *Eh que t'es pissou!*

Dans l'art de freiner l'enthousiasme de quelqu'un, je suis dur à battre.

– C'est les mêmes freins qu'un vélo, dit-elle en les actionnant. C'est juste qu'au lieu de pédaler, tu donnes du gaz en tournant la poignée. C'est facile.

Elle a raison. Conduire un scooter est bébé. Si c'était complexe, l'âge serait de plus de quatorze ans au Québec. Plusieurs de mes nouveaux amis comptent les mois qui les séparent du moment où ils pourront s'en procurer un. Il y a plein d'élèves qui se rendent à la poly en scooter et ce ne sont pas tous des lumières.

Maxim sort son anglais du dimanche:

– *How old?*

– *No problem, no problem,* insiste le Cubain en voulant dire que... ben c'est ça, qu'il n'y a aucun problème.

– *How much in american money?*

– *Good deal, good deal.*

Ce gars répète chaque information. Deux personnes qui baragouinent dans leur langue seconde, ce n'est pas évident à suivre.

Maxim se tourne vers moi.

– C'est cool, il va nous faire un bon prix.

Elle leur indique du doigt une montre imaginaire sur son poignet.

– *Later, okay?*

Le premier Cubain semble saisir.

– *Come back, good deal for you, bonita chica.*

– *Gracias,* répond poliment Maxim.

– *Graciââss,* que je rajoute.

Je demande à Maxim :

– Ton père va vouloir?

– Jamais de la vie !

Alors pourquoi tu en parles, d'abord?

Je débarque du scooter, quelque peu déçu. Une partie de moi avait peur d'avoir un accident et l'autre jubilait à l'idée de vivre un genre de *road trip* avec sa future blonde. Si je devais mourir, ce serait fabuleux que ce soit en moto avec la fille que j'aime.

Je devine que Maxim leur a fait signe que nous reviendrons plus tard afin qu'ils la laissent tranquille. Elle remercie à nouveau les deux gars, qui lui rétorquent un tas de trucs incompréhensibles, puis nous retournons vers la plage.

– C'est qui ça, Bonita Chica ?

– Aucune idée, répond-elle. Ça sonne comme une place à visiter. Ou c'est peut-être une fille qui travaille avec eux pis qui va être là plus tard.

– On aurait dit un surnom qu'il te donnait.

– Peut-être.

J'ai beau être descendu, je me sens encore assis sur le scooter. Combien de fois allons-nous à nouveau avoir la chance de faire une telle balade? Parce que je me dis que la bonne réponse est «jamais», je m'autorise à insister.

– Tu devrais demander la permission à ton père. Il dit toujours oui.

– Pas pour ça. Son frère a déjà eu un accident de moto, il a failli mourir.

– Ça serait tripant.

– Je le sais, regrette-t-elle.

Nous marchons la tête basse, puis elle s'arrête, me prend par les deux bras, s'avance vers moi les yeux brillants et, sans avertissement, me sacre une claque en plein sur un de mes coups de soleil.

– C'est décidé. On s'en va en scooter cet après-midi.

– Mais... tu viens de dire que ton père voudra jamais.

– Il est pas obligé de le savoir! dit-elle en me faisant un clin d'œil.

Chapitre 11

Le nudiste involontaire

Pour des raisons de passé familial et de sûreté évidentes – Cuba reste un pays étranger –, le père de Maxim refuserait qu'elle parte sur l'île en scooter. Alors, après le dîner, elle lui mentionne simplement que nous voudrions aller marcher autour pour admirer le paysage. Rien de périlleux, le quartier étant truffé de tout-inclus et de touristes habillés comme la chienne à Jacquio, le cousin cubain de Jacques.

Normand gobe le mensonge comme un poisson croque le ver hameçonné. Il accepte sans poser de questions, se contentant de quelques consignes de sécurité du type : si un homme cagoulé armé d'un AK-47 vous offre des bonbons, il faut gentiment refuser.

Facile comme ça !

Ma mère m'aurait soumis à un interrogatoire serré : qui, quand, quoi, comment, pourquoi, de quessé, de quoi ça. Le fait que j'accompagne Maxim doit aussi pencher dans la balance. Je ne pense pas que Normand laisserait sa fille partir toute seule. S'il savait à quel point je ne suis pas apte à la défendre...

Pour cette promenade secrète en scooter, j'ai eu la décence de mettre mes jeans. Ce n'est pas la tenue idéale étant donné le soleil radieux, mais avec des gougounes et un t-shirt de cigare, ce n'est pas si pire. Je ne passerai pas l'après-midi avec un pain pita enroulé autour de la taille. Je préfère avoir l'air d'un habitant comme en ce moment. Si je tombe, ce sont mes pantalons qui déchireront et non ma peau.

Maxim a enfilé une paire de shorts et un chandail léger par-dessus son costume de bain. Normand, lui, a troqué la plage pour le bar à l'ombre où il a retrouvé un Mike qui n'a pas bougé d'un poil.

– Restez proches, insiste Normand avant de commander son drink de prédilection : du Coca-Cola dilué avec du jus de poubelle brun fermenté que les Cubains embouteillent.

Nous nous éloignons d'un pas rapide, craignant qu'il allume et flaire le mensonge. Ça me rappelle la fois où une caissière du Rona avait oublié de scanner la tondeuse que mes parents avaient apportée à l'avant sur une plateforme roulante en compagnie de quelques articles. Ma mère s'était aperçue de la bévue de l'employée en insérant sa carte de crédit dans le terminal : montant total inférieur à cent dollars. La tondeuse à elle seule en valait quatre cents et des poussières.

Pour ce genre de situations, ma mère a élaboré un code d'éthique : s'il s'agit d'un commerce de quartier, l'honnêteté s'impose, mais lorsqu'il s'agit d'une grande chaîne (un point boni si celle-ci est américaine), on a le droit, moralement parlant, de garder le silence.

Comme Jojo le dit si bien : « On se fait tellement baiser par le gouvernement, pourquoi on en profiterait pas quand ça passe ? » Le code d'éthique de mon père est plus simple : crosser le système autant que possible.

Je me souviendrai toujours du stress de ma mère à la caisse du Rona. Elle n'était pas outillée pour faire face à la situation. En pitonnant son NIP d'un index nerveux, elle donnait des coups de coude discrets à mon père pour attirer son attention. Elle ne pouvait pas patienter jusqu'à la voiture pour lui annoncer la bonne nouvelle, il lui fallait un complice dans l'immédiat. Quand il avait fini par piger, il s'était mis à respirer les narines écartées et à faire les cent pas en attendant qu'on lui remette la facture.

Mes parents étaient quasiment sortis du magasin en courant. Je n'existais plus, ils n'en avaient que pour leur tondeuse. Dès lors, la FAMEUSE fois où ils avaient fait l'acquisition d'une tondeuse gratis chez Rona était devenue leur anecdote préférée.

À ce moment précis, je comprends la sensation que mes parents ont pu éprouver. Deux prisonniers qui fuient sous l'œil distrait de gardes inattentifs. Est-ce trop beau pour être vrai ? Va-t-on se faire prendre ?

– Je me sens mal, culpabilise Maxim. Je raconte jamais de menteries à mon père.

– On s'y habitue avec le temps.

– C'est pas pareil avec mes parents.

Elle n'a pas besoin de m'exposer les différences entre nos parents. Ils proviennent de deux planètes fort éloignées l'une de l'autre.

– Je suis au courant. Moi, ils veulent jamais rien.

– Je suis la petite fille à papa. On a une relation spéciale. J'ai l'impression de le trahir.

– Mais non, y'a rien là. T'as rien fait de mal.

– Je lui ai menti en pleine face !

Je m'efforce d'amenuiser l'ampleur du mensonge : ce ne sera qu'une courte balade de quelques coins de rue, nous roulerons lentement et prudemment, son père en rira le jour où il l'apprendra, etc.

Je lui réserve l'argument suprême pour la fin :

– Pis ça va être super cool, tu l'as dit toi-même !

À force d'insister, j'arrive à redonner le sourire à Maxim.

Au kiosque, plusieurs scooters ont déjà été loués, dont le rouge sur lequel elle s'était assise plus tôt, mais il en reste quelques-uns, les plus usés.

– *Hola.*

– *Hola.*

– *Hola.*

– *Hola.*

– *Hola.*

– *Hola.*

– *Hola.*

– *Hola.*

Cette fois, je me suis salué.

Maxim se concentre, puis articule, syllabe par syllabe :

– *Me and my friend would like to go on the...*

Elle me consulte :

– Comment on dit «scooter» en anglais?

– «Scooter», je pense.

Le charmeur pige ce mot.

– *Yes, scooter, you can go!*

Maxim sort son portefeuille de sa poche et lui montre ses quelques billets.

– *How much?*

Il étudie la pile, puis la saisit en entier.

– *Perfect. Choose the scooter you want.*

Pressés par l'idée que Normand pourrait apparaître du haut d'un palmier et nous attaquer avec des noix de coco, nous prenons les premiers scooters du bord. Les clés sont déjà dans le contact.

Les gars rigolent en espagnol en comptant l'argent. Je commence à me douter que ma copine s'est fait rouler par deux opportunistes, mais je ne veux pas ruiner le moment.

– On n'a pas de papier à signer? que je demande à Maxim.

– On dirait que non.

Pas de paperasse, pas de trace. Je pourrais emprunter ce scooter et refaire ma vie à La Havane sans jamais le rapporter. Quand je pense qu'il a fallu une heure à ma mère pour louer une machine pour laver les tapis du sous-sol cet automne...

– C'est donc ben facile.

– Arrête de poser des questions avant que je change d'idée! angoisse Maxim.

Elle tourne la clé et le moteur âgé se met à vibrer. Ce modèle date d'une autre époque. Du genre à tomber en panne dans une côte. En actionnant la poignée, elle fait décoller son scooter d'un coup. Elle échappe un juron d'excitation, puis perd le ballant. Le second Cubain se dépêche de lui porter secours avant qu'elle ne renverse. Il lui explique dans le langage des signes-et-de-l'anglais-tout-croche de donner du gaz lentement.

Son cours en accéléré «Scooter 101» porte ses fruits. Maxim s'engage sur la route en douceur.

– Attends-moi! que je lui crie en m'enfonçant sur la tête le casque de moto dans lequel des milliers de touristes ont sué au fil des ans.

J'ai beau suivre les conseils prodigués à Maxim, je manque de foncer dans la pancarte du kiosque par deux fois en démarrant. Les Cubains s'esclaffent derrière. Je n'ose pas me retourner.

Une fois partis, on reste en équilibre sans problème. Pareil comme à vélo lorsqu'on profite d'un bon élan et qu'on cesse de pédaler.

Pour une raison que j'ignore, je ris sans arrêt.

BONHEUR
+ NERVOSITÉ
+ LIBERTÉ
=
JE SUIS CRAMPÉ

Par prudence et surtout parce que je fais preuve de la témérité d'un moine bouddhiste, j'avance en pépère à vingt-cinq kilomètres à l'heure sur une route de campagne. Dans ma tête, je suis à l'avant du peloton des 500 miles d'Indianapolis. Dois-je me tenir en plein centre de la voie ou plutôt au bord à droite, comme un cycliste, afin de laisser passer les voitures ?

À l'arrêt suivant, je rejoins Maxim qui m'attend. Elle se bidonne elle aussi sous son casque. Une maladie contagieuse, ces rires incontrôlables. L'excitation me fait crier des niaiseries.

– ROUCOUCOU, LA POULE AUX ŒUFS D'OR !!!!

Nous roulons côte à côte durant quatre ou cinq minutes à hurler des niaiseries sur cette route où il n'y a pas grand-chose à part quelques hôtels et un endroit qui ressemble à une discothèque, silencieuse à cette heure-ci. À cause de nos casques, je n'entends absolument rien de ce que crie Maxim, mais je suis crampé chaque fois que je perçois les notes aiguës de son rire.

Nous arrivons à une espèce de rond-point qui nous oblige à faire demi-tour. Une plage déserte absolument magnifique s'offre à nous. Sans nous consulter, nous nous immobilisons sur l'accotement. Maxim descend de son scooter, abaisse la béquille, puis enlève son casque.

– Je capote!

– C'est débile!

Ce sont les seuls mots qui nous viennent à l'esprit. La beauté du décor dépasse celle de notre tout-inclus. L'eau turquoise est encore plus turquoise, le sable blanc encore plus blanc. C'est plus que magnifique, c'est majestueux! Un joyau intact de la nature.

Dans un surplus d'énergie qu'elle est incapable de canaliser, Maxim me fait un *high five*. De mon côté, je flotte dans une bulle où tout est trop parfait. Je crois que si je me réveillais dans mon lit et que je réalisais que tout ceci n'était qu'un rêve, je tomberais en dépression profonde.

Nous courons jusqu'au bord de la mer, toujours en riant.

– On dirait qu'on est tout seuls au monde! jubile Maxim.

– C'est débile!

Décidément, je suis frappé d'une pénurie de vocabulaire. Trop de stimulation pour mon pauvre cerveau.

La propreté du sable frôle le souci maniaque. Des Cubains sont-ils payés pour le laver à l'eau de Javel et y ramasser le moindre débris?

Un cri étouffé à notre droite nous confirme que nous ne sommes pas aussi seuls que nous le croyions.

Derrière une roche de dimension immense, impossible à décoller du sol, quatre jambes s'agitent. Deux poilues et deux rasées.

Voilà deux personnes qui, manifestement, ont pris au mot le cocktail Sex on the Beach. Maxim et moi nous interrogeons du regard d'un air intrigué.

– Est-ce que tu penses qu'ils sont en train de faire ce que je pense? demande Maxim en retenant un ricanement.

– En tout cas, ils sont pas en train de jouer à la pétanque.

– C'est bizarre qu'ils aient pas arrêté en nous entendant.

– Je te gage que c'est un couple de sourds.

– Nono!

– Mes parents ont déjà fait la même affaire à Old Orchard.

– Yark! Pas eux!

– Je sais, c'est dégueulasse.

– Comment ils ont fait pour arriver jusqu'ici? Il y a rien autour.

– Ils ont dû marcher, j'imagine. Ils devaient être motivés.

Elle me tire par le bras.

– On va les laisser tranquilles.

– Attends, on vient d'arriver. On peut relaxer deux minutes. Sûrement qu'ils achèvent.

– Et on va faire quoi après? Un pique-nique sur la roche?

– Peut-être qu'on s'énerve pour rien et qu'ils sont juste en train de s'embrasser.

– Avec pas grand-chose sur le dos, complète-t-elle en désignant une pile de vêtements que je n'avais pas aperçue, à quelques pas de là.

Youhou! Allo! Des vêtements! Ding, ding, ding!

Une idée machiavélique m'effleure.

– Peut-être que le costume de bain du gars me fait.

– Et tu comptes faire quoi? Lui échanger contre ta paire de jeans?

Voyant que je ne réponds pas, elle devine ce que j'ai en tête.

– T'es vraiment en train de t'imaginer que tu pourrais lui voler son costume de bain?

– «Voler», c'est un grand mot.

– Tu voudrais prendre le costume de bain qui traîne par terre et qui t'appartient pas, et le garder pour toi, c'est ça?

– Exact.

– Moi, j'appelle ça du vol.

– Peut-être, mais je suis écœuré de me promener avec mon étouffe-quéquette laid. J'ai l'air fou.

– Ça fait à peine une demi-journée, calme-toi.

– J'en peux pu, je me sens pas bien.

– Je le vois même plus, prétend-elle. De toute façon, t'es pas game.

– Tu me mets au défi?

Elle comprend que, comme pour l'étoile de mer, je ne fais pas que lancer des paroles en l'air.

– C'est ridicule! Tu sais même pas si le costume te fait. Veux-tu une cabine d'essayage?

– À moins qu'un jeune de dix ans soit en train de s'envoyer en l'air, ça me surprendrait qu'il soit trop petit. Pis s'il est trop grand, y'a toujours un cordon pour le serrer. De loin, le gars a pas les jambes d'un lutteur sumo.

– Tout d'un coup que c'est un Speedo léopard comme le tien.

– Je suis prêt à courir le risque.

De gestes vifs de la main, elle fait comme une prof devant un tableau: on efface et on recommence.

– Voyons! Qu'est-ce qui te prend? T'es pas un voleur!

Jamais je ne lui dirai que j'ai piqué une boîte de Trojan à la pharmacie. À la place, je lui fais un clin d'œil et dédramatise la situation.

– On fait ce qu'on peut pour survivre dans la jungle, ma belle!

Telle Lara Croft dans *Tomb Raider,* je me penche quelque peu vers l'avant et m'approche du rocher, que j'évalue à une distance approximative de vingt mètres.

Au lieu d'un masque maya conférant le pouvoir d'une vie éternelle à son propriétaire, mon trésor convoité est un costume de bain. *Speedo Raider!*

– Ramène-toi ici, gronde Maxim en murmurant.

Je lui fais signe de m'attendre.

– Épais!

Voler un costume de bain n'est pas la fin du monde. Contrairement à Normand, le gars doit bien en garder un supplémentaire dans sa valise.

Pis il va revenir nu-graine à son hôtel?

Maxim continue de rouspéter derrière tandis que je marche sur le bout des pieds.

– Arrête ça!

Mission risquée. Mon cœur pompe à toute allure. Je volerais une banque que je serais pas aussi stressé.

L'adrénaline qui circule dans mes veines aiguise mes sens. Les soupirs des deux personnes ne tiennent en rien de l'impatience. Pas de doute, une partie de Twister XXX s'est amorcée.

Grouille!

Les vêtements forment un monticule semblable à celui se trouvant dans le bac des objets perdus à la poly. Tout est entassé pêle-mêle en motton, comme si nos deux crabes, incapables de se retenir une seconde de plus, avaient tout lancé sur le sable à la presse pour ensuite se cacher derrière le rocher afin de se taquiner le coquillage.

Je me retourne. Maxim continue de m'adresser des signes criants d'insécurité que l'on pourrait traduire par : «Reviens icitte au plus sacrant!»

Il est trop tard, je suis devant le butin, je ne peux plus reculer. On ne quitte pas la file d'un manège à un tour de passer.

Quelle belle comparaison! C'est vraiment pareil!

De là où je suis, le rocher me bloque la vue des nudistes qui se donnent à fond. Ils en sont au sprint final.

Je me dépêche de fouiller.

Le voilà!

En plein ce qu'il me faut : un costume de bain style bermuda. Bleu avec des motifs que je n'ai pas le temps d'analyser. Le propriétaire dudit maillot se trouve à un jet de pierre, avec une grosse garnotte pour seule séparation entre nous.

Fais pas ça. Le pauvre gars va être tout nu à cause de toi. C'est chien.

Ma voix intérieure a beau me supplier de laisser le vêtement là, le diable en moi m'incite à poursuivre ma mission.

Allez, vole-le. Ça va te faire une anecdote crampante à raconter à l'école. C'est illégal, ce qu'ils font. Ils avaient juste à pas baiser devant tout le monde comme des exhibitionnistes.

Je saisis le costume et, tandis que mes cupidons font l'incantation des dieux, je m'éloigne en catimini.

N'en pouvant plus du suspense, je me mets à courir à mi-chemin entre le rocher et Maxim qui, elle, se tire les cheveux de découragement.

– *HEY!* hurle une voix masculine.

Shit!

Par automatisme, je tourne la tête. L'homme dans la jeune vingtaine s'est levé et a mis ses mains entre les deux jambes pour se cacher la langoustine.

– T'es tellement con! rage Maxim.

Le gars part à courir.

– *COME BACK HERE!*

– Le *dude* tout nu s'en vient. Abandonne le costume de bain!

– Y'en est pas question!

J'accélère le pas. Le cœur veut me remonter par l'œsophage. Il y a quelque chose d'inquiétant chez un nudiste en furie.

Quand il va te rattraper, il va utiliser le cordon du maillot pour t'étrangler.

Je dépasse Maxim, qui a les mots «t'es malade» étampés dans le front, file jusqu'à mon scooter, puis l'enfourche avec l'élégance d'un novice de la conduite qui a un fusil sur la tempe. Maxim me rejoint en vitesse.

– Tu vas me le payer cher! fulmine-t-elle.

Elle n'entend pas à rire.

– *YOU ASSHOLE!*

Le gars non plus.

Pas de doute, il maîtrise l'anglais à la perfection. Il ne s'agit donc pas d'un Québécois que je risque de recroiser un jour, par hasard, en sortant d'un Subway.

En décollant en trombe, je perds le contrôle du scooter et fonce dans celui de Maxim, qui passe près de tomber.

– Qu'est-ce que tu fous? panique-t-elle.

Je recule, puis donne du gaz à fond. Ma roue d'en avant lève, puis atterrit lourdement. Derrière, Maxim fait crisser ses pneus. Deux brigands en cavale.

Je me concentre, penché au-dessus du guidon comme si je circulais sur une autoroute. Nous roulons en sens inverse de tout à l'heure. Au bout d'une centaine de mètres, je freine, puis me retourne. Là où nous étions stationnés, l'homme crie des injures indécodables. Sa blonde l'a rejoint, à moitié habillée.

La mienne est tout aussi de mauvaise humeur.

– Je vais te tuer en arrivant à l'hôtel!

Alors que Maxim rage toute seule, un fou rire inattendu la surprend.

– Pouhahahahaha! Imagine le gars retourner à son hôtel la zoune à l'air!

Je me mets à rire moi aussi.

Nous reprenons la route côte à côte en nous tordant, mais contrairement à l'aller où nous nous bidonnions pour aucune raison précise, cette fois, la cause est claire: j'ai piqué un costume de bain usagé! Ce moment épique n'est pas près de s'effacer de notre mémoire.

Une fois de temps en temps, je tourne la tête, craignant de voir apparaître une voiture de police ou, pire, un pick-up noir conduit par un homme tatoué avec, dans la boîte derrière, mon brave nudiste avec l'Expo à l'air, armé d'un bâton de baseball, prêt à claquer un circuit avec mon crâne.

De retour au kiosque de location, nous stationnons nos scooters. En débarquant du mien, je roule mon trésor volé et le coince dans ma poche de jeans. Nous gâtons ceux qui se sont offert un pourboire sans précédent grâce à la naïveté de Maxim de quelques «*hola*» et «*gracias*», puis entrons en vitesse dans l'hôtel.

Notre balade de dix-neuf minutes et demie est terminée. Mais qu'est-ce qu'elle était amusante et intense!

– J'en reviens pas, continue de répéter Maxim pour elle-même.

Je me racle la gorge et tente de me secouer les esprits. Je me vois encore en train de courir, pourchassé par mon naturiste enragé. La bosse qui gonfle ma poche de gauche me signale que le jeu en valait la chandelle. Je n'aurai plus à me promener avec l'asperge moulée dans le spandex léopard pour le reste des vacances.

La responsable de notre compagnie aérienne nous aborde tout près du comptoir de l'accueil.

– Ah! Je viens justement de parler à ton père, me dit-elle en souriant.

– C'est pas mon père, c'est mon... euh... beau-père, en fait... ouais, mon père.

La dame me regarde d'un drôle d'air en voulant dire : «Sais-tu tu es qui, coudonc?»

– Ta valise a été retrouvée. Je viens tout juste de la recevoir.

Chapitre 12

Eau de vaisselle à volonté

De retour à la chambre, je passe près de donner des becs à ma valise comme le pape embrasse l'asphalte quand il débarque quelque part. Retrouver mes vêtements, aussi usés et ordinaires soient-ils, me procure un soulagement insoupçonné. C'est lorsqu'on n'a plus quelque chose qu'on réalise à quel point on l'appréciait. Un peu comme Charles, qui ne m'a jamais autant manqué que depuis qu'il a pris le chemin de la morgue. Une constatation aussi vraie que cruelle.

Pour m'avoir obligé à porter le cache-sexe d'un homme des cavernes, la compagnie aérienne m'a offert cent dollars de rabais à l'achat de mon prochain voyage avec elle. Aussi bien dire rien pantoute. Donner une carte-cadeau pour inciter les clients à dépenser, je n'appelle pas ça une compensation !

De toute façon, le dédommagement revient à Normand. C'est quand même lui qui a payé mon billet. Même si ça avait été un écran plat de soixante pouces, je me serais mal vu lui dire : «Elle va être belle dans ma chambre, cette télé-là !».

Le reste de l'après-midi est des plus relax. Avant d'aller calciner au soleil, Maxim et moi nous prélassons sous un parasol aux abords de la piscine creusée.

Cette fois, pour mon plus grand bonheur, j'arbore mon propre costume de bain. Mon magnifique Speedo léopard et le maillot bleu volé devront malheureusement passer le reste du séjour dans le fond de ma valise.

C'est ce qui nous fait le plus rire. Déjà que fouiller dans les vêtements d'un couple qui fait l'amour figurait au sommet du cocasse, en plus, j'ai tout fait ça pour rien. Il y a un gars qui s'est promené la quéquette au vent jusqu'à son hôtel, qui a enduré les regards désapprobateurs de dizaines de touristes et d'employés, afin que je puisse me baigner avec dignité. Mais au final, le costume de bain va atterrir dans un conteneur de dons de vêtements une fois que je reviendrai au Québec. Trop drôle ! Ça me donne le goût de recommencer !

Assis sur des chaises longues, Maxim et moi sirotons une noix de coco qu'un Cubain posté sous un palmier a taillée à l'aide d'une machette. Je ne le savais pas, mais par-dessus la coquille brune que l'on connaît, il y a une grosse couche de chair semblable à celle d'une citrouille, mais de couleur jaune verdâtre. Une fois le haut de la noix coupé, on y plonge une paille et on boit l'eau de coco chaude. Ça goûte l'eau de vaisselle stagnante dont la mousse a disparu, mais nous avons l'air cool. Il ne nous manque qu'un sombrero et le teint bronzé pour espérer figurer dans le clip *Despacito 2*.

Grâce à mes lunettes de soleil toutes noires payées douze dollars à la pharmacie, je peux admirer Maxim sans être obligé de l'espionner du coin de l'œil. Mon attirance envers elle dépasse la simple attraction physique. Comme pour la noix de coco, il y a une seconde couche. Une sorte de vénération, si ça se trouve. Elle grimace sous l'eau pour me faire rire, elle me fait triper. Elle monte l'échelle de la piscine, elle me fait triper. Elle se passe la main dans les cheveux, elle me fait triper. Elle glisse ses doigts à l'intérieur de son costume au niveau des fesses pour replacer le tissu, elle me fait triper.

Je me demande si j'en reviendrai un jour, de sa beauté. Est-il possible de capoter sur la même personne jour après jour? À force de manger des chips chaque soir, on finit par se tanner de roter des patates grasses. Vais-je me réveiller un matin en me disant: «Bon, elle est cute, mais elle est pas siiiiiiii cute que ça»?

J'espère que non. Ce serait d'une tristesse incalculable. Surtout qu'en plus de son attrait esthétique, Maxim est une bien meilleure personne que moi. Je ne dois jamais l'oublier. Et souhaiter qu'elle ne s'en rende jamais compte.

Nous consacrons tout l'après-midi à niaiser et à nous reposer. Nous jasons à l'ombre, sautons à l'eau, nous étendons pour sécher, rions en nous rappelant la balade en scooter, buvons une autre eau de coco, sautons à nouveau dans la piscine. Je pourrais maintenir ce rythme zen pendant des mois.

La grosse vie.

Les histoires de Lily, les malaises, c'est fini. L'automne a disparu des quatre saisons.

À ma connaissance, c'est la première fois de mon existence que je ne pense pas à ce qui se passera dans une heure, demain, la semaine prochaine. Je suis ici, maintenant. L'esprit libre. Sensation indescriptible.

La vraie vie.

Est-ce l'amour ou les vacances au soleil qui me donne cette impression de planer? Un peu des deux, j'imagine. Cette joie extatique ne m'habiterait pas autant si j'étais en train de pelleter l'entrée chez Maxim et ce, même si elle lichait chaque flocon qui se déposait sur le bout de mon nez.

Malheureusement, les heures filent à une vitesse folle. Score final des noix de coco:

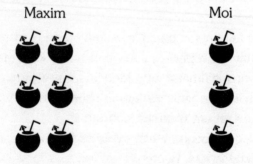

Maxim   Moi

Au souper, nous retournons nous taper les mêmes plats qu'au dîner. Ça a beau être un buffet, je cherche déjà quoi manger. Alors au diable les conseils de ma mère, je me sers de la viande et de tout ce que je suis en mesure d'identifier et qui ne provient pas de la mer.

Alors qu'on entame notre repas, une voix enjouée résonne :

– Ah ben, je vous cherchais justement !

Pour la première fois depuis notre arrivée, Mike n'a pas de verre à la main. Ça doit être sa minute officielle de sobriété.

– *Hola !* que je formule par automatisme.

Réalisant ma méprise, je souris pour montrer que je niaisais.

– Qu'est-ce que vous faites demain ? nous demande-t-il.

Nous nous consultons du regard, étonnés d'une telle question.

– Rien de spécial, répond Normand. D'après moi, je vais m'étendre sur la plage.

Mike fait un son de *buzzer*.

– Mauvaise réponse ! J'ai la joie de vous annoncer que je vous emmène en plongée sous-marine. Pas moi personnellement, mais mon chum Pedro.

Maxim retient son souffle.

– Avec une bonbonne et tout le kit ? demande-t-elle.

Il hoche la tête, heureux.

– Oh que oui, mademoiselle !

Il nous explique qu'une expédition est organisée pour demain et que quelques clients ont annulé à la dernière minute.

– Pedro, ça fait des années que je le connais, c'est le meilleur prof de plongée au monde. Croyez-moi, j'en ai fait partout. Vous avez pas à vous inquiéter, c'est top sécuritaire.

Normand semble mal à l'aise face à la proposition.

– Ça coûte cher, ces activités-là. Je peux p...

– Casse-toé pas la tête avec ça ! C'est ma traite.

– C'est trop, on peut pas accepter.

– Arrête ça ! Tu garderas ton argent pour te faire masser, les Cubaines sont pas mal bonnes, si tu vois ce que je veux dire.

Mike appuie sa déclaration d'une tape sur l'épaule du père de Maxim.

– Hein !

Ça signifie « tsé veut dire ».

Normand sourit poliment.

– **Hein !** insiste Mike.

Ç'a l'air qu'il doit répondre.

– Peut-être.

– Hein !!!

Quel commentaire Normand doit-il formuler pour qu'il arrête ?

– Ouais, de la plongée, ce serait bien.

Maxim saute dans les bras de son père.

– Ah, merci, merci, merci !

Elle se tourne vers moi.

– Ça va être malade !

– Débile !

Il s'agit de mon mot officiel de la semaine.

Je me force à sourire. Un peu comme Normand, je ne sais pas quoi penser, mais visiblement pas pour les mêmes raisons. Les seules images de plongée que j'ai vues sont celles de plongeurs apeurés dans une cage de métal entourée de requins blancs ayant l'humeur de travailleurs qui apprennent que leur usine ferme ses portes.

– En as-tu déjà fait, mon costaud ? me demande Mike.

– Non, mais j'ai déjà nagé avec des palmes, par exemple.

Ouh ! Ça, c'est impressionnant ! Tu devrais lui dire que t'as déjà mis un masque dans le bain.

– Pas grave, Pedro va tout vous expliquer. C'est comme se tenir debout sur des patins : c'est super facile.

De la plongée... J'imagine que ça doit être cool de nager au milieu de bancs de poissons.

Les requins, c'est des poissons.

Je garde mes réticences pour moi. Mes phobies me tapent sur les nerfs. Des fois, si j'écoutais ma p'tite voix, je resterais enfermé dans mon garde-robe pour éviter tout danger. D'où me vient ce courage de danseur de claquettes ?

De ta mère qui débranche le grille-pain et ferme le breaker avant de décoincer une tranche de pain avec un couteau.

J'avais peur de conduire un scooter et finalement, l'expérience a été fabuleuse. Pourquoi ce ne serait pas pareil avec la plongée? Si c'était risqué, Normand ne nous y emmènerait pas.

Pourtant, il t'a emmené en avi...

Ta gueule!

– Moi non plus, j'en ai jamais fait, me dit Maxim. C'est mon rêve!

Elle se tourne vers Mike.

– Mais est-ce qu'il y a des requins?

Au moins, la question vient d'elle.

Mike réfléchit un instant, comme s'il n'était pas certain de sa réponse.

– Les requins, c'est comme des mafiosos: si tu les achales pas, ils t'achalent pas.

Mais quand ils sont pas contents, ils t'arrachent les jambes.

– Ça fait dix ans que je fais des expéditions avec Pedro et des gens qui se sont fait attaquer par des requins, c'est peut-être arrivé cinq ou six fois. Maximum sept. Pis là-dessus, la plupart, c'était juste des doigts sectionnés.

J'avale de travers. Sous la table, j'appuie sur mes genoux pour qu'ils arrêtent de trembler. Je consulte Maxim du regard. Elle semble, comme moi, calculer les risques.

Mike part à rire en me montrant du doigt.

– Si tu voyais ta face! Un peu plus pis tu te pissais sur la cuisse!

– Pas du tout! que je réponds pour me défendre.

Il s'essuie les yeux, fier de sa blague.

– Pedro nous emmène juste à des endroits sécuritaires. Des requins, y'en a pas.

Il nous indique l'heure à laquelle nous devons nous présenter à la piscine, puis nous souhaite un bon appétit.

– Y'annoncent de la marde pour demain, mais croisez vos doigts pour qu'il fasse beau, dit-il avant de nous quitter.

Je crois que Mike aime ses expressions comme son vin: fortes en bouche!

Maxim n'en revient pas, non pas du langage relâché de Mike, mais de l'occasion qui s'offre à nous.

– On est vraiment chanceux!

– C'est très gentil de sa part, approuve Normand.

Je ne sais pas si son orgueil est piqué, mais je sens qu'il éprouve une certaine réticence à accepter le cadeau de Mike. Pour ma part, ça me gêne zéro. On peut m'offrir ce qu'on veut, je prends tout ce qui passe.

Et une séance de plongée peut non seulement être une aventure aussi électrisante que notre balade en scooter, mais en plus, elle me permettra de réaliser mon défi.

À moi, l'étoile de mer!

Chapitre 13

Une partie de ping-pong avec la fille qui pogne

Dans un coin plutôt isolé du rez-de-chaussée du pavillon principal, nous trouvons la salle de jeux pour les jeunes dont nous a parlé Caroline lors de la réunion de ce matin. De la manière dont elle la décrivait, je m'attendais à y passer la soirée et à me faire sortir de force à la fermeture. Les jeux d'habileté et d'arcade, c'est comme les frenchs : je ne m'en tanne pas. Tu me donnes des affaires à garrocher sur des cibles et je capote. Même les poches, le jeu poche qui porte bien son nom, j'aime ça.

Pour faire changement, Normand a décidé de veiller au bar. La boxe étant très populaire chez les Cubains, Mike lui a appris qu'un gala allait être présenté sur écran géant. Ils vont donc boire en regardant des gars se taper dessus.

En entrant dans le lieu bondé d'enfants et d'ados sans supervision, je constate que cette salle est à l'image de notre chambre. Ça sent l'humidité et le laisser-aller. Oh! Caroline n'a pas menti. Il y a bel et bien tous les jeux mentionnés, en version déwrenchée cependant.

– Préfères-tu qu'on aille ailleurs ? que j'offre à Maxim tellement l'endroit fait pitié.

– Où tu veux qu'on aille d'autre ?

Je lui proposerais bien d'aller marcher au bord de l'eau, mais j'aurais peur qu'elle retombe dans son humeur mélancolique et qu'elle me pose encore des questions délicates devant lesquelles un avocat me recommanderait de garder le silence.

Les jeunes présents n'ayant pas l'air malheureux pour autant, nous décidons de nous amuser aussi. Quand on garde en perspective que l'école recommence dans moins d'une semaine, un jeu de dards en plastique avec des fléchettes tordues devient plus attrayant.

Nous nous essayons à la machine à boules. Je n'ai jamais été fan de *pinball* : la balle finit toujours par passer entre les *flippers* trop écartés, même quand on maîtrise la patente à la perfection.

Pas besoin d'insérer de pièce de monnaie, *Kiss* (c'est le nom du jeu, faces maquillées des membres du groupe rock légendaire incluses) offre des crédits à l'infini.

Les dames d'abord. Maxim tire sur le ressort et catapulte la balle argentée, qui se met à ricocher. Les effets sonores et visuels étant défectueux, on n'entend que les mécanismes propulsant la bille géante. En matière de stimulation sensorielle, ça se compare à regarder un vidéoclip de musique classique à MUTE.

Maxim abandonne au bout de douze généreuses secondes. Moi, cinq. Si j'étais amateur de jeux de mots poches-encore-plus-poches-que-le-jeu-de-poches, je conclurais ainsi : « Kiss que c'est plate ! »

Je repère une table d'air-hockey – mon jeu préféré – qui, bizarrement, est déserte. Je comprends pourquoi en donnant un coup sur la rondelle avec ma mailloche ronde. L'air ne fonctionne pas. Le disque s'arrête huit centimètres plus loin. Du air-hockey sans air, c'est comme un hot-dog sans dog...

À ma gauche se déroule une partie de baby-foot opposant deux équipes de deux enfants peinant à faire bouger leurs bonshommes. Les tiges de métal incrustées de rouille auraient besoin d'une cure de rajeunissement au WD-40. Ça grince comme une porte de grange abandonnée.

– Est-ce qu'on joue au billard, d'abord ? demande Maxim en voyant qu'une des deux tables s'est libérée.

Qu'est-ce qui nous attend ? Il manque une patte ? Les trous sont remplis de souris ? Le triangle a la forme d'un carré ? Le tapis vert est en fait de la mousse de roche ?

Pour rendre le tout plus intéressant, Maxim et moi gageons sur ce qui cloche avec la table. Cette dernière se trouvant à l'autre bout de la salle, il n'y a pas moyen de le deviner depuis l'endroit où nous nous trouvons. Comme dans le bon vieux temps, nous élaborons des règles vite fait : Maxim obtient les premier et quatrième choix de repêchage. Moi, ceux du milieu.

Après un bref remue-méninges, nous établissons la conséquence pour le perdant : traverser la salle à dos de baguette en faisant semblant de galoper à cheval.

Une gageure n'est jamais une gageure officielle sans la traditionnelle double tape dans la main.

— Bonne chance, me dit-elle, confiante. Moi, je pense qu'il y a pas de boule blanche.

Les prédictions deux et trois me reviennent.

— Il y a une boule blanche, mais il manque au moins une boule de couleur. Sinon, le bout pour mettre du bleu est pété sur une des baguettes.

À elle le dernier mot.

— La table est toute bosselée.

— Ah, merde ! J'aurais dû dire ça.

Impatients de connaître le résultat, nous courons jusqu'à la table.

Le tapis vert est usé au possible, mais il n'y a pas de dénivellation apparente. Dans une poche latérale, je trouve la boule blanche. Mon honneur est sauf !

— T'as gagné ! déchante Maxim en me montrant une baguette sans embout.

— Wouhou !!! que je crie en levant les bras comme si j'avais marqué un but.

Avec une baguette sans pointe blanche et sans poudre bleue, aussi bien utiliser un javelot.

J'affiche mon sourire le plus chiant.

— Tu sais ce qu'il te reste à faire ?

Dans le monde du pari, l'amour et la pitié prennent une pause. Seules attitudes acceptées : la moquerie, la méchanceté, la condescendance ou les trois en même temps.

Je m'installe confortablement les fesses sur le bord de la table et admire Maxim imiter un cowboy. Sans aucune gêne, elle court en lâchant des «hiiiiii haaaaaaa» tout autour de la salle. Les jeunes et moins jeunes l'observent en se demandant ce qui ne tourne pas rond dans la tête de cette fille. A-t-elle trop bu de 7 Up?

Mes abdos tressaillent. J'en ai les larmes aux yeux. Je la regarde et je me dis que ça ferait une fichue belle scène de film cucul. La fille court au ralenti, les cheveux au vent, pendant que le beau gars (moi) rit et que son amour pour elle grandit dans son cœur. Et là, la fille revient vers lui, il la prend dans ses bras et ils se roulent sur la table de billard en frenchant comme des affamés. Les jeunes à la table de baby-foot, figés telles les tiges rouillées, ont la bouche ouverte et les yeux en forme de ballon de soccer.

En réalité, notre scène se termine par le triomphe de Maxim, qui lance sa baguette sur la table en disant :

– Amènes-en, des défis faciles de même !

Nous jetons ensuite notre dévolu sur la table de ping-pong dont le défaut se voit depuis l'autre côté de la rue : le filet, manifestement brisé depuis la mort d'Elvis, a été remplacé par une bande de soie blanche tenant à l'aide de deux nœuds. De toute beauté !

Maxim et moi prenons chacun une raquette vendue dans les magasins à une piastre que renierait même un débutant. Heureusement, on a droit à une vraie balle et non à une balle de baseball.

Je peux compter sur les doigts de la main d'un manchot le nombre de fois où j'ai eu l'occasion de jouer au ping-pong, ce sport sous-estimé parce qu'il a l'air du cousin pauvre du tennis. Nous multiplions les échanges de pratique. Enfin un jeu amusant!

— Est-ce que ça te tente de te faire planter? me nargue Maxim alors que je viens d'envoyer la balle dans la robe de geisha recyclée en filet.

Il n'en faut pas plus pour éveiller mon esprit de compétition. Jouer pour m'amuser? Bof. Jouer pour gagner? Voilà qui est bien. Jouer pour battre Maxim? Encore mieux!

Une partie de vingt et un points s'amorce. Modérée lors des premiers échanges, l'intensité s'accentue une fois que Maxim franchit le cap de la dizaine.

10 à 6.

— Je t'ai assez donné de chances, je vais me forcer pour vrai, que je la préviens.

Le problème du ping-pong est à l'opposé de celui du soccer. Au soccer, le terrain est trop grand. Pas pour rien qu'il s'inscrit un but à l'heure. Au ping-pong, c'est le contraire : la table n'est ni assez longue ni assez large. S'ajoute à cela la super raquette de la grosseur d'une tranche de pain. Résultat : nous marquons des points à la pelle. Le temps de cligner des yeux, je crée l'égalité.

15 à 15.

– Est-ce qu'elle commence à avoir peur, la p'tite crevette ?

J'envoie mon service suivant dans la gaine en soie.

16 à 15.

– Si tu continues à servir comme une truie, pas vraiment, réplique-t-elle.

La vivacité des insultes s'accroît avec le pointage.

Maxim sert vers mon revers, je frappe en hauteur, la balle bondit, Maxim tente un smash, la balle dépasse la table, atterrit plus loin, rebondit quelques fois avant de rouler sous la table de billard.

L'égalité à nouveau.

– Oups ! Tes smashes ont besoin de pratique !

Je me penche pour récupérer la balle. Juste avant de me redresser, je remarque deux paires de jambes tout près de Maxim. Je ne me considère pas comme un spécialiste en mollets, mais instinctivement, je fige. Mon cœur se met à battre aussi vite que les ping et les pong de notre balle durant nos meilleurs échanges.

La tête inclinée, je relève les yeux et, sans surprise, reconnais mon nudiste, suivi de sa copine.

Ils logent à notre hôtel !!!

Calvince ! Qu'est-ce que tu vas faire ?

Sont-ils au courant que leur voleur de maillot fait partie du même complexe ? Me cherchent-ils ou se trouvent-ils ici par hasard dans le but de jouer au air-hockey sans air ? Si j'ai été capable de les reconnaître sans effort, l'inverse est tout aussi probable.

— Qu'est-ce que tu fous ? s'impatiente Maxim, trop loin pour lire la panique dans mes yeux. Tu examines le tapis ?

J'ai envie de lui dire de se taire, de se cacher le visage derrière sa raquette. Elle a moins de chances que moi d'être reconnue parce qu'elle se tenait en retrait, mais on ne sait jamais.

Toujours accroupi, je lui fais discrètement signe de regarder à sa droite. Notre couple se trouve à un comptoir où une employée leur sert chacun une bouteille d'eau. Elle ne saisit pas le message et me le démontre en haussant les épaules avec une face d'autruche.

En faisant semblant de me gratter le côté de la tête – la méthode de camouflage par excellence quand on n'a pas de journal sous la main –, je m'approche rapidement de la table de ping-pong, dépose ma raquette et la balle, puis murmure à l'oreille de Maxim :

— Le gars du costume de bain est là.

Évidemment, elle ne comprend rien.

— Quoi ?

Je l'empoigne par le bras, et articule entre mes dents serrées :

— Dis rien pis suis-moi, je vais t'expliquer.

Pour éloigner les soupçons, j'essaie de marcher avec une démarche normale, mais j'ai plutôt l'air d'un joggeur dont le fond de culotte a flambé à cause du frottement répété.

– Tu me fais mal, se plaint Maxim.

– Chhhhhhhhhuuuuuuuut!

À la porte, je commets la même erreur fatale que sur la plage : regarder en arrière.

Les astres s'alignent alors et mes yeux croisent ceux du nudiste. Aussitôt, il me pointe en faisant signe à sa blonde de nous prendre en filature.

Soixante interminables secondes plus tard à courir avec des gougounes qui font kekloung-kekloung, je me retrouve à l'extérieur de l'hôtel, essoufflé et dissimulé derrière un conteneur à déchets qui empeste les crevettes en putréfaction, à me dire que je suis en train de me cacher parce que j'ai volé un foutu costume de bain qui ne me sert à rien. Tout près, des pas pressés se rapprochent. Et juste à côté, la fille qui a finalement compris ce qui se passait attend avec impatience une accalmie pour m'égorger.

Chapitre 14

La couenne à vif

Dix minutes à respirer l'odeur des vidanges. Et autant pour retourner à notre chambre en nous déplaçant comme des espions. Une chance que le complexe hôtelier est composé de plusieurs bâtiments répartis sur une aire de terrain de golf. Dans une cour d'école, nous aurions vite été repérés.

Une fois en sécurité, Maxim me donne une combinaison de bines sur les bras en guise d'appréciation. Et comme son père n'est pas revenu de sa soirée de boxe, elle ajoute un round et m'en allonge quelques autres.

– Je t'haïs, gros con!

Évidemment, nous finissons par rire comme des fous. Lorsque Maxim se fâche, sa colère refoule vite, comme le ressac d'une vague. Sauf quand son chum frenche une autre fille.

On va espérer que le séjour du couple qui se cajole les fesses dans le sable achève, car je suis venu à Varadero pour relaxer, pas pour avoir peur qu'un Américain frustré me saute dessus parce que je l'ai obligé à s'exhiber l'Empire State Building en public.

Au fait, je me demande bien comment ça s'est terminé pour lui. A-t-il marché en bedaine avec son t-shirt autour de la taille? A-t-il appelé un taxi, puis attendu dedans que sa blonde coure à la chambre et lui rapporte une paire de shorts? Si je ne risquais pas une défiguration gratuite, j'aimerais bien lui poser la question.

— *So... How was the walking from the naked on the beach?*

Normand rentre peu de temps après. Comme nous avons une grosse journée demain, ce n'est pas long que les lumières se ferment et que mes deux partenaires se mettent à respirer plus fort. Maxim a la capacité de s'endormir aussi vite qu'elle change d'humeur.

Moi, non.

Sur le dos, la tête sur l'oreiller, je subis les vagues de mon surplus d'adrénaline qui refuse de partir, comme Tristan lorsqu'il vient jouer chez moi.

Petit à petit, mes épaules se mettent à chauffer.

Puis à brûler.

La peau exposée sans protection ce matin me démangeait au souper. Pendant notre partie de ping-pong, je ressentais de la douleur, mais rien pour gâcher le plaisir. Là, chaque pore de ma peau est un volcan en éruption. Je sauterais dans un bain glacé.

Maxim avait raison quand elle me disait que j'avais des coups de soleil et encore plus quand elle avait prédit que le feu commencerait à mijoter en soirée. Qu'est-ce que je peux faire? La crème solaire peut-elle calmer les coups de soleil?

La suite de *La petite fille aux allumettes* s'intitule *Le grand dadais aux épaules calcinées*. Je me sens comme un beignet dans l'huile bouillante. Si on examinait ma peau au microscope, on verrait mes cellules frire. Merde que ça brûle!

J'aurais envie de réveiller Maxim, mais pour lui dire quoi? «Ma peau chauffe»? Que pourrait-elle faire à part me dire «Pauvre toi»? Je l'ai assez fait suer pour ce soir, je n'ai pas besoin de la tirer du sommeil pour des niaiseries de coups de soleil. Un peu de débrouillardise, je n'ai plus deux ans. S'ils étaient si terribles, ma peau aurait commencé à se consumer bien avant.

La douleur va en augmentant comme si elle s'autoalimentait. Les draps de mon lit me font l'effet de fers à repasser. Si un grand brûlé me fait un jour part de son traumatisme, je pourrai sympathiser.

En attendant de trouver une solution, j'aurais envie de crier pour déjouer mon cerveau et lui faire oublier pendant une fraction de seconde qu'un cancer de la peau tient une réunion dans la région des épaules, du ventre et du dos. Juste un long «aaaaaaaaaaaaahhhhhhhh» dans le fond de mon oreiller, pour éviter d'alerter Varadero au complet.

Dans l'immédiat, une greffe s'impose. Non, du froid. Il me faut du froid!

Réagis au lieu de réfléchir.

Je suis prisonnier d'un brasier. La climatisation beaucoup trop forte en temps normal ne suffit plus.

À travers la noirceur, j'examine la trappe en tentant d'évaluer s'il me serait possible de l'ouvrir et de m'y engouffrer.

Je me lève doucement, me rends jusqu'à la salle de bains, ferme la porte sans bruit, allume la lumière, puis consulte le miroir qui n'en demandait pas tant.

On voit les délimitations des régions où je me suis mis de la crème solaire ce matin. Je suis en bedaine et pourtant, j'ai l'air d'avoir un t-shirt rouge imprimé sur le dos. Un CH tracé au Sharpie sur mon ventre et je pourrais scander : «Go Habs Go!» Je suis couvert de plaques semblables à celles qui apparaissent après avoir reçu une claque. Là, le compteur indique deux cents claques.

Il me faut de la crème hydratante, n'importe quoi. Le contenu de la pochette de toilette de Normand, rangée sur le meuble-lavabo, s'avère décevant.

Dentifrice à la menthe... Je n'ose pas imaginer le cri que je pousserais en m'en appliquant ne serait-ce qu'une goutte.

Crème à raser, crème à hémorroïdes... Est-ce que des hémorroïdes, ça chauffe? Je n'ai jamais eu ça. Je ne sais même pas ce que c'est à part que ça hiberne dans les foufounes. Des boutons glaireux? Des tétines sanglantes? Des verrues contagieuses? Je garde en tête cette option en tant que dernier recours.

La trousse de Maxim ne contient rien de mieux. Son tube entier de baume à lèvres peinerait à me couvrir le coin d'une épaule.

Le froid demeure la meilleure option. Du frette pour freiner l'incendie et ensuite de la crème pour étouffer les braises. On verra laquelle rendu là. Au pire, je me tapisserai une épaule de Lypsyl et l'autre, de Préparation H.

J'ouvre le robinet. Un filet d'eau de la force d'un saignement de nez s'en écoule. Une chance que nous utilisons de l'eau en bouteille, il serait à peine assez fort pour rincer notre brosse à dents. D'un mouvement sec de la main semblable à celui que l'on ferait pour chasser une mouche, je frappe le jet vers moi et reçois une douche de huit gouttes.

À ce rythme, j'en aurai pour la nuit... Quel trou à rat, cet endroit !

J'enjambe la paroi de la baignoire, tourne la poignée de droite en douceur. La main en forme de vase sous l'eau, je me verse l'équivalent d'une gorgée à la fois sur les épaules, le ventre et, moins commode, le dos. Je ne veux surtout pas alerter Normand et Maxim avec le son de la douche. De toute façon, l'eau est aussi froide que celle qui sort de nos robinets en été. Ça ne noie en rien la douleur.

Ça va super bien.

La petite voix gossante dans ma tête ne m'encourage pas. Elle pratique son sarcasme dont je me passerais volontiers.

Tout est sous contrôle.

Je m'essuie en m'épongeant délicatement. La ratine m'agresse la peau telle une laine d'acier qui récure une gale fraîche.

C'est sûr que des brûlures au troisième degré, ça doit pas être si grave...

Pas plus avancé, je retourne à mon lit.

Mes séances de pompier n'ont pas réveillé Maxim et Normand. Sur la table carrée qui nous sert de présentoir de tubes de crème solaire et autres cossins utiles, un halo de lumière se crée autour du seau à glace, comme pour m'indiquer qu'il s'agit de la voie à suivre.

Me souvenant d'avoir croisé l'espèce de grosse machine accouchant de glaçons en série sur le côté de notre bâtiment, je m'empare du contenant et sors. Je ferme la porte lentement, un centimètre à la fois. J'ai déjà tellement honte de m'être appliqué de la crème solaire en bozo et de m'être promené en Speedo léopard que mon orgueil m'ordonne plus que jamais de régler le cas présent en catimini.

Dès que j'entends le clic de la poignée, je réalise qu'il me manque la carte magnétique pour rentrer.

Meeeeeeeerde!

Tata!

Imbécile!

Maudit concombre!

Je ne me suis jamais autant détesté. On dirait que je fais exprès pour me placer dans des situations impossibles. Je ne pouvais pas y penser deux secondes avant ? Il fallait que résonne le klouk pour que ça clique dans ma tête ? N'ai-je rien appris de mon voyage à Ottawa ?

J'ai l'air brillant, debout devant le dortoir, nu-pieds, en boxers et avec un t-shirt rouge imaginaire. Quelqu'un veut me prendre en photo ?

Ce serait bien que tu aies les yeux rouges sur la photo, ça fitterait.

Heureusement, la machine à glace ronronne paisiblement dans son coin. Personne en vue. Je me rue sur elle comme on se précipite sur un ami qu'on n'a pas vu depuis des années. Plutôt que de lui donner un bec sur la joue, j'ouvre le couvercle, remplis mon bac et me le vide sur une épaule.

Les glaçons tombent au sol.

Aucun soulagement. Il me faudrait des sacs Ziploc pour en faire des Ice-Pak. Plus pratique que des cubes en liberté.

Je n'ai pas ma carte magnétique, alors on peut facilement imaginer que j'ai encore moins prévu d'apporter des sacs...

Ma peau, sac ou pas de sac, continue de hurler comme un bébé qui attend son biberon, à l'exception que sa voix ressemble à celle du chanteur masqué des Bastard Melters. Les battements de mon cœur, eux, se font sentir jusqu'à mon épiderme.

Je n'en peux plus.

D'ici trois ou quatre mois, après quelques interventions chirurgicales, ça devrait aller mieux.

J'examine l'intérieur de la machine – de la grosseur du cercueil de Charles – où les cubes de glace occupent la moitié de l'espace, et me dis qu'aux alentours de minuit, en bobettes, avec à peu près que des palmiers et du béton autour, il n'y a pas quinze options.

J'entre.

Chapitre 15

Le monstre des glaces

Je me cale dans la glace, m'en couvre le ventre, puis jouis du soulagement quasi instantané. Je l'imagine fondre sous mon dos brûlant en faisant des pchiiiiiit et en crachant de la vapeur.

Aaaaaaaah! Ça fait du bien!

De peur de m'embarrer à nouveau (une expertise que je ne compte pas développer), je laisse le couvercle de la machine ouvert. Il n'existe pas de système de verrou – personne ne craint les vols de glaçons –, mais je ne veux courir aucun risque. Finir ses jours en popsicle n'a pour seul avantage que de conserver le corps jusqu'à l'arrivée des autorités.

Les yeux fermés, je me concentre sur ma respiration. C'est frette! Il y a une vingtaine de secondes, j'avais l'impression de flamber. Là, je viens de passer à l'opposé du spectre. La glace est si froide qu'on dirait des tisons ardents qui me taquinent. Mes muscles du cou se raidissent.

Des crampes aux jambes et aux chevilles m'obligent à me recroqueviller. Si je ne veux pas sortir d'ici avec des engelures, je ne peux pas m'éterniser plus de deux ou trois minutes.

Des bruits de pas me parviennent. Quelqu'un s'approche.

J'ouvre les yeux.

Est-ce le gars du costume de bain qui me cherche encore et qui croit que je me cache de lui? Non, ça ne se peut pas. Il a d'autres chats à fouetter. À moins que Maxim ait remarqué mon absence?

J'obtiens ma réponse l'instant suivant lorsqu'une face d'Asiatique prend la place des étoiles dans le ciel.

– Y'a quelqu'un! que je dis en me redressant comme si une personne était entrée dans ma cabine de toilette.

La femme en robe de chambre pousse un cri de mort, en échappe son seau à glace, puis s'enfuit en gougounes en hurlant comme si elle avait aperçu un zombie. Le temps que j'arrive à formuler une phrase en anglais pour la rassurer, elle a disparu.

Au cas où elle alerterait les gardiens, je me dépêche de sortir de là. Justifier ma présence dans une machine à glace en anglais ou en espagnol serait un trop grand défi.

Comment est-ce que je rentre dans la chambre, maintenant? S'il faut que la dame soit allée se plaindre à la réception, aller y demander une carte de rechange équivaudrait à ériger un campement au bord du Nil en espérant y éviter les hippopotames.

Avant le souper, après avoir pris une douche pour nous débarrasser des derniers grains de sable et de sel (la piscine ne suffit pas), Maxim et moi avons étendu nos costumes de bain sur les chaises du perron. Avec un peu de chance, on aura laissé la porte-patio déverrouillée.

Je contourne le bâtiment. Les spectacles sont terminés et le bar est assez loin d'ici. Les parages sont des plus tranquilles. Je progresse en évaluant l'emplacement de notre chambre. Les buissons qui m'arrivent à la poitrine m'obligent à écornifler. Je m'efface lorsqu'une lumière apparaît à l'intérieur.

Je remercie le ciel de nous avoir octroyé une chambre au rez-de-chaussée. Si je devais grimper au quatrième étage, je la trouverais moins drôle.

Je repère nos maillots. Nos rideaux sont fermés. Il fait noir. Impossible de deviner si le loquet est levé ou baissé. Je dois y aller avec la bonne vieille méthode essai-erreur.

Aussi dense qu'un afro, la haie ne me laisse aucun espoir de me faufiler à travers. À moins de trouver la machette du monsieur des noix de coco... Disons que j'ai plus de chances de m'écorcher le petit orteil sur une étoile de mer au bord de l'eau.

Vais-je vraiment réaliser un saut en hauteur en boxers? Ça ne me tente tellement pas!

Mes coups de soleil!!! S'il faut que je me les érafle, je risque de pleurer jusqu'à l'aube dans la machine à glace, recroquevillé en petite boule de crème glacée.

Pire encore, si je me bute à une porte verrouillée, je devrai me résoudre à réveiller Maxim en cognant à la fenêtre avec la face de celui qui a autant d'estime de lui qu'un chat de gouttière. Et lorsqu'elle m'ouvrira, allo les jugements!

Avant de changer d'idée, je prends un élan, puis fonce. Je sprinte à fond en m'imaginant en train de fuir les jumeaux Dupuis. La haie, petite au loin, devient de plus en plus grosse, de plus en plus intimidante. À la dernière seconde, la peur m'envahit et je m'arrête brusquement.

Qu'est-ce que tu fous? Saute!

Si seulement c'était une haie de cèdres tout échevelée comme celle qui entoure notre terrain! Les branches de cette espèce végétale dont j'ignore le nom sont minces et pointues tels des pics à fondue au chocolat. D'après mes calculs, si j'atterris sur le dessus des buissons, elles vont me transpercer comme si j'étais une vulgaire tranche de banane.

L'an dernier, en sixième année, j'ai terminé premier au saut en hauteur, devant Mathieu, le gars qui me talonnait dans toutes les épreuves des olympiades. Mais à quelle hauteur s'élevait mon meilleur essai?

Chose certaine, la barre n'était pas aussi large que cette haie. Impossible d'effectuer la méthode ciseaux sans y laisser mon scrotum ou me déchirer la raie. Pour ce qui est de la technique olympienne, en me lançant de dos à l'obstacle, je dois tenir compte du fait que, de l'autre côté, ce n'est pas un matelas coussiné qui m'attend, mais bien une table et des chaises en plastique, dont l'usage de base n'est pas de protéger la colonne vertébrale de lésions à la moelle épinière.

Je recule à mon point de départ, que je juge raisonnable. Inutile d'accélérer pendant vingt mètres, la vitesse pourrait faire en sorte que je m'aplatisse face première dans la porte-patio. Il s'agit d'un saut en hauteur et non en longueur. En fait, il y a un peu des deux dans l'équation. Je dois sauter assez haut, mais aussi assez loin. Nouvelle discipline : le saut en diagonale.

L'effet congélateur s'est estompé et ma peau a recommencé à jouer au bacon gras qui pétille dans la poêle.

Je visualise la cascade : je cours, saute du pied gauche (mon plus fort), relève les jambes, vole par-dessus la haie en petit bonhomme, atterris en équilibre en plein centre de la table, en redescends avec un air cool, ouvre la porte déverrouillée, m'asperge de crème et retourne me coucher comme si de rien n'était.

Voilà pour la visualisation. J'ai envoyé des ondes positives dans l'univers.

Le passé m'a appris que dans les moments cruciaux, rien ne se déroule comme on l'espère.

Grand-p'pa, si jamais tu veilles sur moi, donne-moi un coup de pouce.

Un homme s'approche. Est-ce un garde de nuit qui répond à un appel sur son walkie-talkie ?

La silhouette sombre se colore. Un touriste. Du même âge que Normand.

Il me regarde bizarrement. Je ne vois pas pourquoi...

Pour montrer que je suis occupé, j'improvise un salut au soleil.

– *Hola*, que je lui dis en souriant.

– *Hola*.

Et parce que je suis un con qui ne sait pas quand se la fermer, j'ajoute :

– *I love yoga at the beach.*

– *Good for you*, rétorque-t-il sans demander un cours d'essai.

– *Graciâââss.*

Il suit le sentier, puis contourne notre bâtiment. S'il se dépêche de rejoindre sa chambre et de mettre le nez à sa porte-patio, il bénéficiera d'un point de vue privilégié pour assister à un saut spectaculaire... ou à un *fail* monumental.

Je me souhaite la première éventualité.

J'effectue un tour sur moi-même. Pas d'autre touriste en vue.

Je m'élance à nouveau.

Arrête pas, arrête pas, arrête pas.

Habile pour calculer mes pas, je saute du bon pied. En m'élevant, je relève les talons. Mais pas assez haut. Mes pieds s'accrochent dans la haie.

Je perds l'équilibre et passe d'une épreuve d'athlétisme à une imitation ratée de Superman.

Ça se déroule si rapidement que je n'ai pas le temps d'évaluer ma position ni celle des objets se trouvant sur ma trajectoire.

Sans le vouloir, j'atterris un genou sur le coin de la table et l'autre dans le vide. Toujours est-il que je me tortille comme un poisson dans un filet et termine ma chute assis sur une chaise, les deux bras appuyés sur les appuie-bras.

Je ne pourrai jamais expliquer comment j'ai fait...

Je me relève d'un bond afin de vérifier si quelqu'un a été témoin de mes prouesses.

Personne? Quel gâchis!

Je regarde la chaise, la table, la haie, j'essaie de revoir la reprise. Comment est-ce possible?

J'aurais pu conclure ma cascade sur le dos, me déchirer la peau des genoux, me casser une cheville, m'étamper le nez dans la porte-patio. Or, mon corps a pris place pile-poil au bon endroit sur la chaise, comme s'il s'agissait d'une chorégraphie de cirque de rue que j'avais répétée des centaines de fois.

Je ramasse les costumes de bain tombés à cause du passage d'un superhéros en caleçon, puis examine à nouveau les alentours en riant tout seul parce que je n'arrive pas à comprendre comment j'ai pu réussir un tel exploit. J'imagine que mon grand-père a dû réagir de la même façon en claquant son trou d'un coup au golf.

Ma rigolade prend fin abruptement quand ma conscience m'interpelle.

Youhou, t'es embarré dehors.

Le moment de vérité: la porte-patio.

Comme je viens de vivre la plus grosse chance de ma vie, je me dis que je ne peux pas être mardeux deux fois de suite...

Pourtant, j'obtiens la récompense de voir la porte s'ouvrir. Le roulement la fait crier. Je m'engouffre à l'intérieur et la referme en me promettant de veiller à ce qu'elle reste déverrouillée jusqu'à samedi. On ne sait jamais...

Dérangée par le bruit aigu, Maxim lève la tête.

– Est-ce que ça va? demande-t-elle d'une voix molle, comme s'il lui manquait la moitié des dents.

– Super.

– Qu'est-ce que tu fais?

– J'ai tiré le rideau comme il faut pour pas que la clarté nous réveille demain matin. Rendors-toi.

Elle retombe aussitôt.

Je m'empare de ma bouteille de crème solaire neuve qui monte la garde avec les autres sur la table et transforme mon ventre et mes épaules en gâteau de fête à la vanille. La crème solaire FPS 60 (ma mère a insisté à la pharmacie pour m'acheter ce qu'il y avait de plus puissant) devient de la 6 000 tellement je beurre épais. Pour le dos, je me trémousse dans tous les sens et m'en étends comme je peux du bout des doigts.

Afin d'éviter toute agression indésirable, je retire les draps de mon lit, m'allonge lentement et place les bras de chaque côté de mon corps. Mon yogourt grec me protège des morsures de l'air. J'avais vu ça dans un film, je ne me souviens plus lequel. Le personnage pansait ses brûlures avec des bandages afin de couper le contact avec l'oxygène.

Ma peau est si meurtrie que, d'après moi, elle boira toute la crème d'ici l'aube.

J'espère que demain sera plus relaxant qu'aujourd'hui. Je ne suis pas certain que mes nerfs puissent en prendre plus. La bonne nouvelle, c'est que la plongée sous-marine se déroulera dans une autre partie de Varadero. Je pourrai ainsi passer quelques heures sans craindre de croiser le nudiste fâché.

Les élancements de mes coups de soleil finissent par devenir une sorte de berceuse. Je laisse la fatigue me gagner en repensant à mon saut et je ne peux m'empêcher de me dire que l'esprit de mon grand-père y était pour quelque chose.

Varadero,
Jour 3

*Si les journées suivent l'ordre
chronologique, c'est quoi, le but?*

Chapitre 16

Cette fascinante quatrième dimension

Comme un film de pow pow qui commence en force, mes coups de soleil se sont calmés. Ils sont toujours lancinants, mais rien comparé à cette nuit, au moment de me jeter dans la gueule de la machine à glace. Mon bain de crème m'a fait du bien. À mon réveil, il n'y en avait plus aucune trace. D'après moi, l'effet de la crème solaire sur mes épaules et mon ventre aura la même durée que la potion magique sur Obélix.

Depuis qu'elle s'est levée, Maxim n'est pas dans son assiette. Elle dit qu'elle ne se sent pas très bien, mais n'a aucun symptôme en particulier. Elle n'a pratiquement rien avalé au déjeuner. De la fatigue, qu'elle croit.

Si elle avait eu la nuit que j'ai eue...

Son père suspecte plutôt un coup de chaleur. Par conséquent, une hydratation convenable s'impose.

Si elle avait eu les coups de soleil que j'ai eus...

– Aimes-tu mieux qu'on laisse tomber la plongée ? lui demande Normand en lui tendant une bouteille d'eau.

Elle refuse vivement, puise dans son énergie et se botte le derrière.

— Je vais être correcte.

À notre réveil, le ciel était gris et, contrairement aux autres matins, les nuages ont décidé d'élire domicile au-dessus de Varadero. Rien pour remettre mes bottes d'hiver, mais l'air frisquet est annonciateur de mauvais temps. Caroline nous avait prévenus. J'ignore quelle est leur recette gagnante, mais les prévisions météo sont plus efficaces ici que par chez nous. Nos météorologues ont de la misère à prédire le temps qu'il fera dans dix minutes.

En nous rendant à la piscine spécialement réservée pour notre formation, nous croisons Mike.

— Comment va la compagnie? demande ce dernier en s'amenant avec son Speedo tigré.

Je ne suis pas déçu d'avoir récupéré mon maillot.

En attendant que le groupe soit complet, il nous présente son fameux Pedro, le moniteur à moustache, puis nous apprend que Maxim et moi n'avons pas tout à fait l'âge requis pour participer (à cause d'une portion de plongée plus rock'n'roll), mais que l'argent peut acheter bien des choses, à Cuba. Il n'en est pas peu fier et je soupçonne qu'il l'ait dit fort par exprès, afin que tous les participants sachent qu'il est riche. Pas besoin de préciser que Pedro l'aime beaucoup beaucoup beaucoup.

Première phase de notre entraînement: la communication.

Dans l'océan, les modes de communication sont restreints. Les fax et les textos étant impossibles, on doit s'en tenir au langage des signes. Pedro nous enseigne quelques messages de base, dont «Tout va bien», «Je dois remonter d'urgence», «Je ne respire plus», «Je pense que j'ai oublié ma serviette dans ma chambre d'hôtel» et «Ryan Gosling n'est pas si beau que ça». Nous les pratiquons ensuite en petits groupes.

Deuxième phase : la respiration.

Pedro nous distribue l'élément principal de notre équipement : un genre de sac à dos sur lequel est attachée une bonbonne d'oxygène. Dans l'océan, ma vie reposera entre les mains de celle-ci. Elle cesse de fonctionner et je risque la noyade. C'est beaucoup de pression pour une simple bouteille métallique !

Une fois la veste enfilée, je m'exerce à inspirer et à expirer à l'aide d'un tube partant de la bonbonne et se rendant jusqu'à ma bouche via un embout semblable à celui d'un tuba. Fixé au tube, un cadran de la grosseur de celui d'une montre indique la quantité d'oxygène restante. Plus on reste calme, moins on consomme d'air.

Respirer par la bouche est quelque chose que nous faisons inconsciemment lorsque nous sommes congestionnés. Là, nous sommes forcés de le faire en permanence. Nous commençons à l'extérieur de la piscine afin de nous accoutumer à cette sensation pour le moins bizarre. On dirait que je manque de souffle.

Phase trois : la maîtrise de soi.

Pour introduire cette notion, Pedro utilise une formule-choc que Normand nous traduit ainsi : la plus grande menace en plongée, ce n'est pas les requins, c'est soi-même.

Il nous explique qu'au moindre pépin, remonter à la surface est le réflexe naturel d'un plongeur débutant, mais qu'il est dangereux de le faire trop rapidement en raison des échanges gazeux qui s'effectuent dans notre corps. Les principes biologiques m'échappent, mais le verbe «*die*» suffit pour me convaincre de ne pas tenter la manœuvre.

Juste avant qu'on saute à l'eau, Pedro nous avertit de ne pas céder à la tentation, mais il prédit que tous tomberont dans le piège. Et il a raison parce que, des dix personnes inscrites à l'activité, neuf capotent à un certain moment, jaillissant hors de la piscine avec un air affolé. Seul Mike ne tombe pas dans le panneau. C'est un pro, alors il n'a aucun mérite.

Qui est le premier à perdre les pédales ?

Coucou !

Alors que je rase le fond dans la partie la plus creuse en me familiarisant avec l'équipement, de l'eau s'infiltre mystérieusement dans mon tube. Je respire l'équivalent d'une gorgée, m'étouffe, puis, sentant la mort me gruger tel un piranha en manque de chair, je disjoncte ; mes poumons se vident de tout l'oxygène emmagasiné, je me débats comme si le reste de la famille de piranhas s'était jointe au festin, pour finalement émerger de l'eau à peine un mètre au-dessus.

J'ai l'air d'une belle crevette.

– Ça va, mon costaud? se moque Mike qui s'adonne à ajuster son masque tout près.

Dans une piscine, à quelques pieds de profondeur, on ne court aucun risque à remonter trop vite, mais au fond de la mer, le danger est réel. Pedro le répète plusieurs fois pendant que nous retirons notre équipement: «*Never panic! Never panic!*»

À la suite de cette initiation, notre moustachu à tout faire prend le volant d'un autobus qui ne passerait jamais à travers un hiver québécois et nous mène à un endroit précis sur l'île: LE spot idéal pour la plongée. En sortant par la porte battante à l'avant du véhicule en ruine, Maxim assure à son père insistant qu'elle va mieux, d'une voix cependant peu convaincante.

Comme il fait exceptionnellement froid aujourd'hui, Pedro offre aux plus frileux un habit de plongée – un *wet suit* en bon français –, aussi connu sous le nom de patente-impossible-à-mettre. À cause de mes coups de soleil, il me faut le double du temps pour enfiler le mien. C'est sec, mais mouillé en même temps, c'est serré, ça colle, il n'y a pas une cellule d'air là-dedans, ça pue. La texture du tissu n'a rien d'agréable non plus. On dirait un Speedo complet fabriqué en caoutchouc de bottes de pluie. Je le mets en toute conscience que la personne précédente a pissé dedans.

Le temps d'un récapitulatif des règles, et nous entrons dans l'eau.

L'aventure commence pour vrai.

Battant des jambes, j'avance rapidement grâce à mes palmes, qui me meurtrissent les talons et le bout des orteils. Ma mère choisit la taille de mes souliers de façon à ce qu'elle puisse faufiler son majeur derrière le talon lorsque je pousse mes orteils au bout. Pour éviter que les palmes nous sortent des pieds, on doit en porter des trop petites. Les miennes ne tomberont jamais : on m'a prêté l'équivalent de chaussures pour garçonnet. Heureusement, l'excitation m'aide à endurer l'inconfort.

Coupé de tout son extérieur, je n'entends que ma respiration, identique à celle de Darth Vader. Ça me donne l'impression d'être seul dans la galaxie. Bine Solo.

Nous descendons par paliers, question de laisser le temps à nos oreilles de s'habituer. Aucune gomme pour me décrocher les mâchoires et me déboucher le cerveau. Au début, mes tympans menacent d'éclater, puis ils s'accoutument comme en avion.

Lorsque Mike nous a annoncé qu'il nous payait l'activité de plongée, je m'attendais à croiser quelques poissons multicolores, à admirer des coquillages surdimensionnés, à me faufiler à travers des algues colossales et, surtout, à dénicher une étoile de mer.

Je savais pertinemment que des dauphins ne viendraient pas me chanter leur joie de vivre et que je ne visiterais pas l'épave d'un pirate célèbre. Je me disais qu'avec de la chance, chose qui me sourit rarement à l'exception de l'épreuve du saut en diagonale, j'allais au mieux tomber sur un hippocampe et un poisson-clown. Rien de plate, mais rien pour se pâmer non plus.

Majestueux.

C'est le mot qui résume précisément le spectacle qui s'offre à mes yeux au fond de l'océan. Je croyais connaître la vie marine parce que j'avais vu deux ou trois documentaires à la télé. J'avais tort.

La mer regorge de bestioles fascinantes. J'emploie le mot «bestioles», mais on ne sait pas trop si ce sont des animaux ou des végétaux tant certaines épousent des formes étranges et demeurent immobiles. Si, comme le prétend Maxim, le corail est un animal, je ne serais pas surpris d'apprendre que la méduse est un champignon de la famille des pingouins.

Sur le continent, les insectes possèdent des antennes, des ailes; les animaux ont deux ou quatre pattes. Il y a des constantes, des repères. Dans l'océan, l'anarchie règne: des monstres de tous les genres et de toutes les grosseurs se côtoient. Ces mutants à la physionomie tenant du miracle ou du désastre, c'est selon, sont dotés de nageoires dans le derrière et d'un anus dans le front.

Fascinant.

C'est à croire qu'au début de la vie sur Terre, une sélection présidée par un jury intraitable s'est opérée sur la planète. Ainsi, toutes les espèces flyées ont été contraintes à aller rejoindre les poissons aux couleurs sublimes qui, jusque-là, avaient le monopole de l'eau salée. Au lieu d'être condamnées à mort, elles mèneraient une vie secrète et paisible.

Il y a donc du beau et du laid dans l'océan, mais au final, l'ensemble s'avère extraordinaire. Si j'étais capable de parler sous l'eau, je dirais à Maxim : « C'est débile ! » En ce dernier jour de décembre, il n'y a pas de meilleure manière de terminer l'année.

Notre expert plongeur nage à l'avant tandis que nous le suivons en peloton. Il attire notre attention sur différentes patentes, alors Maxim, Normand et moi nous tenons près de lui afin de ne rien rater. De temps en temps, il consulte le cadran de chacun, question de ne pas perdre de participants, même s'ils ont payé d'avance.

L'expédition dure depuis environ trente minutes. Ou soixante. Difficile d'avoir une idée du temps. Dans l'eau, le sentiment d'attente que créent habituellement les secondes et les minutes n'existe plus. Cet isolement dépayserait le meilleur des horlogers. La surface de l'eau agit comme un dôme. Il pourrait y avoir une énorme explosion dans le ciel, on ne le saurait pas.

À un certain endroit, Pedro nous fait signe de nous poser au fond, puis de former un cercle. Comme je suis à sa gauche, il me remet délicatement un oursin qu'il vient tout juste de ramasser. J'observe de près le Timbits dur avec des pics qui bougent, puis le passe à Maxim, qui le refile à son père et ainsi de suite.

Côté système de défense, un beau bravo à l'oursin, mais pour son mode de locomotion, un beau zéro. Pas évident de se déplacer avec quatre mille cils épineux sur la carapace. En une heure, il progresse d'un mètre tandis que le courant marin le fait reculer de deux.

Nous reprenons la nage.

La quantité de poissons qui peuplent les mers me frappe. On peut certes voir des bancs de poissons sur photos, mais en vrai, c'est encore plus exceptionnel. Ces poissons évoluent en gang et bifurquent en même temps, à une fraction de seconde près. D'autres, plus solitaires, avancent de façon aléatoire.

Bizarrement, il n'y a aucune collision. Chacun devine la trajectoire de l'autre. À aucun moment, je ne suis témoin d'un poisson qui en heurte un autre ou qui met les freins d'urgence pour éviter d'arracher les branchies d'un imprudent. C'est comme si deux équipes de quinze joueurs s'affrontaient sur une patinoire de la LNH sans qu'aucun contact ne ponctue le match.

Fascinant.

Plus loin, notre moniteur y va d'une démonstration étrange : il frotte un genre de concombre jaune poussant à la verticale dans un mouvement de va-et-vient et un jet de liquide blanc sort du bout.

Pas fascinant.

Troublant!

Seule mauvaise nouvelle : je ne vois d'étoile de mer nulle part. Est-ce si rare que ça? Dommage que Maxim ne m'ait pas proposé de lui trouver un concombre jaune, ça pousse comme des pissenlits au printemps.

Pedro se poste devant moi pour sa vérification de routine. Je forme un cercle du pouce et de l'index pour lui montrer que tout va bien. Pendant ce temps, sans qu'il s'en doute, je fais pipi.

Il est peut-être en train de faire la même affaire...

Uriner dans un *wet suit* donne une drôle de sensation. Le jet chaud reste emprisonné sur soi un bon moment, puis se dissout lentement. Un carré de sucre qui fond dans un café.

Je ne risque pas de croiser de baleine, mais je me demande à quoi ressemble son pipi. Est-il proportionnel à sa taille? Si oui, je n'aimerais pas me retrouver dans le tracé de sa borne-fontaine. Au fait : les baleines boivent-elles de l'eau?

À un endroit où un genre de rocher Percé semble avoir poussé, nous passons à la file dans un trou d'un mètre de diamètre. Nous pourrions facilement contourner cet obstacle imposant, mais Pedro nous a promis des sensations fortes. Cette barrière naturelle est la raison pour laquelle Mike a dû allonger quelques billets supplémentaires afin que Maxim et moi ayons seize ans.

Je me place derrière mon amie. Le peu de clarté dont nous jouissions s'éteint. Maxim disparaît devant, tout comme mes bras. Je n'ai aucune idée de la longueur du tunnel. Je nage dans le noir. À la fois épeurant et électrisant. À quelques occasions, je me cogne contre la paroi.

De l'autre côté du rocher, en même temps que la lumière revient, la fierté d'avoir atteint le sommet de l'Everest m'inonde. Durant ces célébrations où je me prends pour le plongeur le plus chevronné de l'humanité, un scintillement au fond de l'eau attire mon regard. Je descends, cherche dans les environs, mais ne trouve rien. De quoi pouvait-il s'agir? Un morceau du *Titanic*? Une pièce d'or tombée d'un coffre il y a des siècles? Une étoile filante de mer?

Je continue de nager en ne pensant à rien d'autre qu'à la symphonie visuelle qui s'offre à moi. Je tombe dans la lune. Suffisamment longtemps pour qu'en me réveillant, je réalise qu'il n'y a personne devant.

Coup d'œil à ma gauche: personne.

À droite: personne.

Derrière: personne.

Sous moi: que des fichus concombres jaunes et des algues à sushis.

L'océan, c'est grand.

La panique s'installe dans mon esprit. Mon cœur se met à accélérer, tout comme ma respiration.

Tu vas manquer d'oxygène.

Où sont passés tous les autres?

Je m'imagine remonter à la surface et prendre conscience que je suis seul au milieu de l'Atlantique. À la merci des vagues, des requins et de la nuit qui tombera certes et qui ne me donnera aucune chance de revoir le jour.

Tu dois être loin du rivage, en plus.

Je me rappelle les avertissements de Pedro, me répète que je ne dois pas m'affoler, mais après un autre tour sur moi-même, je ne vois toujours personne. Il y a seulement moi, des dizaines de poissons et des végétaux quelconques.

Il paraît que la noyade est la pire des morts.

Je perds la boule et jette aux poubelles les conseils de Pedro. En me poussant de toutes mes forces avec mes palmes pour me hisser, je les aperçois, au-dessus de moi, à environ dix mètres.

Ma respiration suivante, remplie de soulagement, vide à elle seule la moitié de ma bonbonne. Je crie de joie dans mon tube

– Fiiiiiiooooooooouuuuuuuuuuuu!!!!!!

Je me croyais abandonné, alors qu'ils nageaient tout près. Et si loin en même temps!

À ce moment, je comprends à quel point la plongée offre une perspective qu'on ne rencontre pas sur la terre ferme. Depuis le début que je tentais de mettre des mots sur cette impression de flottement dans l'espace.

En temps normal, il peut y avoir des obstacles tout autour de soi. Trois cent soixante degrés à couvrir des yeux. Au-dessus de nos têtes, à part les chiures de mouette, il n'y a pas lieu de s'inquiéter.

En plongée, il peut y avoir quelque chose tout autour, mais aussi au-dessus et en dessous. Une espèce de quatrième dimension.

Hallucinant.

Je rejoins le peloton, non sans remercier Dieu, le Seigneur, le Saint-Esprit et toutes ses autres formes qui n'existent pas, mais que je remercie quand même au cas où j'aurais tort d'être athée. Pedro consulte la jauge de mon cadran, puis me signale de me calmer et de respirer plus lentement.

Facile à dire, je viens de me perdre dans ce qu'on appelle, euh... l'Atlantique!

De savoir que je consomme trop d'oxygène me fait paniquer, ce qui augmente ma consommation d'oxygène...

Sans effort, je repère Normand, le seul qui ne porte pas de *wet suit* mis à part Mike et Pedro. Mais où est Maxim? Je fais rapidement l'inventaire des membres du groupe, n'oublie pas de m'inclure, et arrive à une personne manquante. Normand n'a-t-il pas remarqué que sa fille ne se tenait plus à côté de lui? S'est-elle écartée comme moi?

Yo, Pedro, compte ton monde!

J'essaie de creuser dans ma mémoire et de me rappeler si je l'ai aperçue ou non à la sortie du tunnel. La lueur brillante au fond de l'eau m'a déconcentré. Possible qu'il y ait eu plusieurs embranchements à l'intérieur du rocher. Et si Maxim avait emprunté le mauvais couloir et s'était butée à une impasse? Est-elle encore là, à espérer que Pedro se porte à son secours?

Va la sauver, toi. C'est plus romantique qu'une étoile de mer.

Ma bonbonne d'oxygène se videra rapidement si je ne reprends pas mon sang-froid. Je viens de me perdre l'espace de quelques secondes; je peux imaginer la détresse de rester prisonnier d'une forteresse aux multiples carrefours, dans la pénombre totale, pendant plusieurs minutes.

Si la logique a été respectée et que Maxim a jailli du tunnel devant moi, il se pourrait qu'elle ait eu un problème technique par la suite. Mon instinct me pousse à remonter à la surface.

Je sors de l'eau, enlève mon tube et mon masque, et aperçois Maxim à quelques mètres, dos à moi.

Soulagement.

— Est-ce que ça va? que je lui demande, inquiet.

Elle se retourne et retire son équipement à son tour. Je remarque ses yeux rouges.

— Qu'est-ce qui se passe?

— Je me sens pas bien, se plaint-elle en grimaçant. Va chercher mon père, s'il te plaît.

Je nage sur place en battant des jambes et en imitant des mouvements horizontaux d'essuie-glace avec mes bras.

– As-tu avalé de l'eau? Es-tu remontée à la surface trop vite? Qu'est-ce qu'il y a?

– J'ai mal au ventre.

– As-tu besoin d'aller aux toilettes?

Elle hoche la tête en écarquillant les yeux, comme si le démon me faisait de l'ombre.

– OK, mais y'en a pas.

Pose-lui pas la question, d'abord!

– J'ai vraiment mal au ventre.

– L'expédition doit achever. Es-tu capable de te retenir quelques minutes? Y'a une bécosse dans la cabane où on a mis nos *wet suits* tantôt.

– Je pense que je vais être malade. Vite, va avertir mon père.

Elle cesse de parler durant quelques secondes, la figure figée, puis recommence à pleurer. Des larmes grosses comme des ménés. Je me sens impuissant face à sa détresse.

Je me rapproche pour la consoler.

– Ça va aller.

– Éloigne-toi, ordonne-t-elle d'un ton sec.

– Pourquoi?

– Parce que. Je... veux pas... te le dire, balbutie-t-elle.

– Je suis ton... ami... tu peux tout me dire.

– Non.

Son visage se déforme.

– OK, je vais aller faire signe à Pedro et à ton père que tu as besoin d'aide.

Elle me fixe dans les yeux d'un air suppliant. Du désespoir à l'état brut.

– Tu vas être correcte. Fais-moi confiance.

– Je viens de chier dans mon *wet suit*! gémit-elle. Et elle se remet à sangloter.

Chapitre 17

Le festival international
de la diarrhée

Normand fait preuve d'énormément de doigté lorsque je lui fais discrètement part de l'incident au moment où l'activité de plongée se termine. Alors que tous les participants retirent leur équipement, subjugués par l'expérience sensorielle hors de l'ordinaire, il reste à l'eau quelques minutes avec sa fille et ils font ce qu'ils ont à faire. Personne ne s'aperçoit de rien, pas même Pedro et Mike.

Par contre, tout le monde apprend dans l'autobus que la tuyauterie de Maxim fait des caprices parce qu'on doit interrompre le trajet par deux fois. L'espagnol et la connaissance des lieux de Pedro nous sauvent. Il s'arrête d'urgence dans une station d'essence, puis dans un dépanneur de fortune où personne ne parle anglais, et encore moins français. Quoique, juste à voir le visage lugubre de Maxim, on devine qu'elle ne cherche pas des Doritos.

Dès notre retour à l'hôtel, Normand donne un comprimé d'antibiotique à Maxim avant que ça dégénère.

– Tu devrais aller mieux dans vingt-quatre heures, ma chouette, la rassure-t-il.

Prévoyants, ils avaient tous les trois obtenu une prescription auprès de leur médecin de famille quelques semaines avant leur départ.

Selon Normand, pas besoin d'un doctorat pour poser un diagnostic. Maxim souffre de la diarrhée du voyageur, aussi connue sous le joli nom de tourista étant donné sa fréquence élevée chez les touristes. Elle a bu ou mangé quelque chose que ses intestins n'ont manifestement pas toléré. En gros, elle a contracté une bactérie indésirable et son corps essaie de s'en débarrasser en expulsant absolument tout.

Dommage que ça tombe sur mon amoureuse. Ça n'aurait pas pu être le gars à qui j'ai volé le costume de bain? Elle doit tellement se sentir comme une carcasse de poulet oubliée sur un comptoir. Espérons que les antibiotiques feront effet en une journée comme prévu. Nous passions un si merveilleux début de voyage… Cette tourista bousille une partie des vacances.

Je cherche le, la ou les coupables… Maxim a-t-elle bu quelque chose avec de la glace par mégarde? Il me semble que non. Est-ce l'abus d'eau de coco autour de la piscine hier? Je n'en ai pas trinqué autant que Maxim, mais j'en ai consommé suffisamment. Merde! Pourvu que ce soit quelque chose qu'elle seule a choisi dans le buffet. Ça ne me tente pas d'être malade.

Elle, ça lui tentait au boutte!

J'ai souvent été victime de dérangements intestinaux mystérieux. On termine un repas, on rince sa vaisselle, tout va bien, la vie est belle, on construit une cabane à moineaux en bâtons de popsicle en se disant que les merles vont triper, puis, quelques heures plus tard, après une marée soudaine de salive, un courant chaud interne annonciateur de tempête et un vertige donnant le mal de mer, on jette l'ancre aux toilettes pour se vider une, deux, trois, quatre fois. Un genre de gastro, mais juste d'un bout.

Le soir, on se couche avec le ventre irrité comme si des pirates avaient tout saccagé au passage, et le lendemain, après un déjeuner léger dont on redoute les échos, la vie reprend son petit navire de chemin et on passe les jours suivants à se demander ce qui a pu causer un tel typhon. La sortie au resto indien? La mayonnaise du sandwich aux œufs? Une nervosité extrême? Un mauvais karma?

Là, c'est différent. Ce n'est pas une simple indigestion qui afflige Maxim. On est au sommet de la hiérarchie des diarrhées. Une princesse. Nulle autre que Lady Diarrhea.

Il y a à peu près un an jour pour jour, j'ai vu Maxim vomir un arc-en-ciel de jelly beans après une course endiablée dans le parc. J'avais trouvé ça cute. Je me souviens de lui avoir replacé une mèche de cheveux collée sur le front. Mais l'entendre épandre du purin en quantité suffisante pour remplir un silo est une première. C'est triste à dire, et je sais que ce n'est pas de sa faute, mais c'est carrément dégueulasse.

Si c'était moi qui me desséchais aux toilettes, je m'écœurerais moi-même. Alors venant de Maxim, c'est en train de me rendre fou.

Si elle était une amie au même titre que Tristan, ça ne me dérangerait pas. Même que je m'esclafferais en écoutant son rectum produire tous les sons inimaginables. Pour la niaiser, je cognerais à la porte et lui demanderais des trucs comme : «Est-ce que ça va?» ou bien «Je m'en vais au buffet, veux-tu que je te rapporte une pointe de pizza?»

Mais Maxim redeviendra ma blonde. Je ne veux pas savoir que son corps rejette des affaires encore plus répugnantes que le mien.

Pourquoi Ariana Grande fait-elle l'objet de tant de fantaisies chez les gars de mon âge? Parce qu'on ne l'a jamais vue dans une position disgracieuse! On aime croire que, dans la vie, elle ne fait que rire, suivre des cours d'aérobie, siroter des sloches qui lui colorent la langue et miauler dans un micro. Pas qu'elle déjeune aux All-Bran Buds pour favoriser sa régularité!

Parlant de position disgracieuse, j'ai déjà surpris mon père en train d'examiner, avec une lampe frontale, le derrière de ma mère, qui était convaincue d'avoir contracté des vers. Elle se plaignait de picotements, de chatouillements et de démangeaisons. Bref, elle se grattait avec élégance à longueur de journée. J'étais au courant parce que c'est le genre de problème qu'elle partage à table entre deux bouchées de patates pilées ou, j'en suis persuadé, au bureau, autour de la machine à café.

Ce matin-là, ils croyaient tous deux que l'autre avait verrouillé la porte de la salle de bains. Dans mes préparatifs pour partir à l'école, j'étais entré alors qu'elle était à quatre pattes sur le tapis du bain et que mon spéléologue, à genoux derrière, avait le nez à trois centimètres de la caverne.

Après, on se demande pourquoi la merde a pogné entre eux... Désolé, mais si Maxim me priait de lui inspecter le canal évasion à la loupe, je fuguerais en scooter !

Tout l'après-midi, Maxim multiplie les allers-retours astreignants aux toilettes. J'arrête de compter à vingt, me sentant ridicule de tenir des statistiques. Ce n'est pas comme si elle allait immortaliser son trou de pet en chou-fleur sur une photo, puis publier le tout sur Instagram accompagné du mot-clic *#commentruinerunebrosseàtoiletteen67allersretoursauxbécosses*.

Pauvre Maxim. Elle n'a plus rien dans le système digestif et ça continue. Les vannes sont plus souvent ouvertes que fermées. Impossible de stopper ces réactions en chaîne. Même qu'on jurerait que ça empire avec les heures. Peut-être est-ce une illusion étant donné qu'elle est de plus en plus faible à force de se vider ?

Pourquoi les antibiotiques prennent-ils autant de temps à agir ? Si on peut calculer avec précision la distance entre la Terre et la Lune, on devrait être en mesure d'inventer un médicament qui arrête la diarrhée dès qu'on l'avale.

Chaque fois que Maxim court vers les toilettes, je me dis que c'est une sacrée chance qu'elle ne soit pas aveugle. Ça rendrait les périples plus risqués. Elle a beau voir et contourner les obstacles avec grâce, elle arrive constamment *in extremis,* donnant toujours l'impression qu'une seconde de plus et elle aurait explosé dans ses shorts.

Depuis quelques années, ma mère porte des protège-dessous parce que dès qu'elle force pour lever ou déplacer un objet, elle relâche involontairement des gouttes de pipi. Elle subit ce désagrément depuis qu'elle a accouché ou, dans ses mots, que je lui ai démanché le bassin. Le plus troublant dans tout ça, c'est qu'elle m'en ait parlé. Non seulement je suis au courant de son incontinence, mais je suis déjà allé lui acheter un paquet mauve d'Always au Pharmaprix. Tout ça pour dire que ce serait pratique pour Maxim. Au cas où elle aurait apporté moins de trois cents paires de petites culottes.

Normand prend soin de sa fille comme il peut, cogne à la porte quand elle agonise dans sa grotte pour lui demander si ça va, puis, lors des courts moments où elle en émerge, s'assure qu'elle s'hydrate adéquatement en l'obligeant à boire du Gatorade, qu'il a déniché à la boutique spécialisée en Speedo de félins. Ensuite, il lui met des débarbouillettes d'eau froide sur le front tandis qu'elle cultive son teint vert, étendue sur le dos sur son lit ou sur le divan, vêtue de son pyjama d'été.

Quand il n'est pas à son chevet, lui et moi passons le temps comme nous le pouvons, principalement en discutant tout bas de sport et d'autres sujets bidon sur le patio, question d'offrir le plus d'intimité possible à Maxim, dans les circonstances. J'ai choisi la chaise sur laquelle j'ai miraculeusement atterri cette nuit.

Nous respectons le calme nécessaire afin que Maxim se repose. Ce serait plutôt déplacé de notre part de nous amuser à *Je te tiens par la barbichette* pendant qu'elle s'adonne à *Je te tiens par le papier de toilette*.

Avec raison, Maxim n'a pas envie de converser. Elle garde ses forces pour se lever du sofa et courir jusqu'à la bol[3], et je refuse de me porter volontaire pour forcer la jasette. De quoi pourrait-on parler, de toute façon?

– *Ouin, je te dis que ça pue dans les bécosses! PIOU!!!!!*

Je laisserais bien Maxim en paix pour aller me baigner à la plage, ramasser des coquillages ou faire semblant que j'éprouve du plaisir à rater mes services au volleyball, mais il n'y a pas qu'à la salle de bains

---

3. L'auteur tient mordicus à écrire « la bol » et non « le bol ». Respectons ses caprices de vedette.

qu'un déluge sévit. Il pleut sans arrêt depuis notre retour mouvementé en autobus.

C'est donc bien malgré moi que j'assiste au calvaire de Maxim. Ma présence semble être une façon de lui signifier que je suis derrière elle, solidaire à sa cause cauche-très-mardesque, mais en toute franchise, c'est parce que la météo m'y oblige.

Entre deux discussions, Normand et moi contemplons les averses depuis le perron. Le balcon du premier étage joue le rôle de parapluie. Une chance que ma mère a insisté pour que j'apporte un kangourou, ce n'est pas chaud pour les avant-bras.

La porte-patio reste ouverte afin que Normand entende si Maxim a besoin de lui. Par bouts, je me bouche discrètement les oreilles pour m'accorder une pause des prrrrrrrrrrttttttt, tttttrrrrhrrrrrrrrhhhhhhhhh et mfghkkksjhskdkkjjhk que le climatiseur sur l'acide n'arrive même pas à camoufler.

On dirait que Maxim a perdu dix kilos depuis ce matin. Aucun vomi, que des selles. Quoique, à ce stade-ci, l'appellation «selles» ne s'applique plus. C'est carrément de l'eau véhiculant des grumeaux. Ma blonde n'a pas à me présenter un rapport écrit sur la composition de son potage, je n'ai qu'à tendre l'oreille.

Pour nuire à ma cause, mon cerveau m'envoie malgré moi des images inutiles de crottes. Ai-je à ce point besoin de détails hyper explicites, comme ceux que l'on verrait dans la série documentaire *Making A Nice Crotte* sur Netflix?

Je mets la faute sur le compte de mon imagination aussi fertile qu'une mère de sextuplés. Peu importe que j'essaie de me changer les idées en fixant les nuages, en sifflotant un air connu ou en parlant des Canadiens avec Normand, elle me joue des scènes épouvantables du geyser qui expulse des déjections dans la salle de bains tout près. Sans oublier la trame sonore qui accompagne les multiples éruptions violentes.

J'y pense... Qui nous dit que ce n'est pas contagieux? Tout d'un coup que ça me prend à mon tour à force de respirer l'air vicié? Ou que je l'attrape en manipulant un objet qu'a touché Maxim?

Misère! Ce serait catastrophique! Mes coups de soleil suffisent, pas besoin que ça bouillonne par en bas en plus. Je ne sais pas pourquoi, mais les virus m'affectent plus que les gens normaux. Mes symptômes sont plus forts. Mon système immunitaire doit souffrir d'un TDAH.

Pour l'instant, je me sens bien. Mon régime alimentaire, basé sur l'excès de riz et de bananes, s'éloigne de mes pratiques courantes. Cela fait en sorte que je ne suis allé aux toilettes qu'une seule fois en trois jours. Je m'estime chanceux de m'en tirer, mais ça pourrait basculer.

Juste à y songer, on dirait que ça gargouille dans mon ventre. Je n'ose pas demander à Normand s'il a d'autres doses d'antibiotiques avec lui, j'aurais l'air égocentrique.

Pour éviter d'attraper la maladie de Maxim et surtout de me soulager pendant qu'une urgence lui pogne, je retiens mon envie. Déjà que Maxim s'est échappée dans son *wet suit,* j'aimerais lui épargner une deuxième humiliation. Elle ne se remettrait pas du choc de me voir sortir de la salle de bains alors que ça lui coule le long des cuisses. Moi non plus, d'ailleurs. J'ai assez de l'imaginer sans que ça se concrétise. C'est sans compter que pour affronter les vapeurs toxiques, il me faudrait un pince-nez.

Ma vessie peut endurer le supplice encore un peu...

En fin de journée, Normand donne un coup de fil à sa femme, question de la mettre au parfum de l'état de santé de leur fille. Durant l'échange, je devine que la mère va mieux et que la grippe est sur le point d'être chose du passé. Après avoir raccroché, Normand vérifie l'heure : 17 h 25.

Par souci de ne pas laisser Maxim toute seule dans la chambre, il propose que j'aille souper en solo au pavillon principal et que je lui rapporte une assiette.

– Choisis-moi n'importe quoi, ça me dérange pas.

De plus en plus incommodé par mon envie pressante, je ne me fais pas prier. J'attendais que se présente la première occasion pour me sauver. Je me voyais mal dire à Normand : « Ça pue trop à la salle de bains, je vais aller pisser ailleurs. »

Il y a aussi que j'ai autre chose en tête. Si je me dépêche de manger, je pourrai prendre du temps pour régler une affaire bien personnelle avant de revenir ici avec le repas de Normand. Ce sera, je me le promets, ma dernière mission périlleuse. Après, je me tiens tranquille le reste de la semaine.

Chapitre 18

Le ninja et son étoile de mer

Comme on est le soir du réveillon du jour de l'An, des ballons et des banderoles sur lesquelles on peut lire des vœux tels que HAPPY NEW YEAR décorent la salle à manger. L'usure des lettres me dit que ces banderoles en ont vu, des flûtes et des bouteilles de champagne.

Je porte peu attention aux détails ajoutés ici et là. La fête me passe littéralement au-dessus de la tête. Si Maxim n'était pas malade, il en serait autrement, mais dans les circonstances, je ne vais certainement pas aller faire le décompte de minuit avec des étrangers. Ça m'intéresse zéro… et ce serait hyper chien pour Maxim! Elle en a assez de côtoyer la mort sans qu'en plus, je m'amuse sans elle.

Après un arrêt obligatoire aux toilettes, je me remplis une assiette au premier réchaud que je croise et m'installe à la table la plus proche. Économie de temps.

Je ne m'étais jamais fait cette réflexion, mais c'est plate, manger seul. Chez moi, le clapet de ma mère ne se ferme jamais. Même quand elle a la bouche pleine, elle pousse sa nourriture dans une joue tel un écureuil et continue de papoter. Quand elle ne me pose pas sa série de questions à propos de ma journée d'école, elle exprime à voix haute tout ce qui lui passe par la tête, à commencer par ses anecdotes gazantes du jour, puis ses bobos de l'heure.

Elle a constamment mal quelque part : un point dans le dos, un nerf sciatique coincé, un pied enflé, le cou tendu, une crampe au mollet, une montée d'arthrite dans les doigts, une infection urinaire, une épaule barrée, la gorge irritée. C'est juste plate qu'elle n'ait jamais d'extinction de voix...

Avec tous ces gens autour, observer mon reflet dans le revers de ma fourchette me cause une sensation de solitude. L'effet est empiré par le méga party qu'organise le Sol Sirenas Playa. Les personnes assises aux autres tables me jugent : « Regarde-le donc, lui. Il est tout seul, il a pas d'amis. »

Je ne pensais jamais m'ennuyer de ma mère à l'heure du repas...

Mais ma solitude tombe bien, en quelque sorte, car je suis pressé. J'avale mes pâtes fades en un temps record, m'essuie la bouche, puis me sauve en direction de la boutique.

À ma grande satisfaction, madame Hola n'est pas là. Je n'avais pas envie d'être reconnu. Un ado au Speedo léopard, ça s'oublie difficilement. À la caisse, un vieux monsieur lit un magazine contenant autant de pages qu'il a de rides sur le visage. Il prend la peine d'interrompre sa lecture.

– *Hola.*

– *Hola.*

Ça commence mal : ma présence a été repérée et je suis le seul client. On dirait que personne n'envisage de fêter le 31 décembre avec un t-shirt neuf I LOVE CUBA. Ils sont pourtant si beaux !

Sachant exactement ce que je suis venu chercher, je flâne dans le coin des jouets de sable. Me comportant en consommateur sérieux, je fais mine de comparer les prix et d'évaluer mon budget. Au bout d'un moment, le monsieur s'approche et se met à me poser un tas de questions.

Je ne comprends absolument rien, alors je me contente de sourire et de lui faire des signes voulant dire «non» avec les mains. J'espère qu'il n'est pas en train de m'offrir son héritage.

Il retourne à son magazine, mais plutôt que de poursuivre sa lecture, il m'observe de loin.

J'attends le bon moment pour agir. Si le plissé arrêtait son service à la clientèle exemplaire, ça aiderait. Il devrait imiter les commis du IGA qui se cachent quand ma mère cherche un produit grano que même Ricardo ne connaît pas, genre du confit de tofu aux fleurs d'hibiscus.

Je lui rends la monnaie de sa pièce. Ça risque de lui couper l'envie de me surveiller avec curiosité comme si j'étais le dernier panda de la planète.

– Pis, comment vous l'aimez, Brad Marchand ? Méchant cochon, hein ?

Le monsieur sourit et au lieu de faire des «non» comme moi, il hoche la tête.

– Sí, sí, sí.

– Attention, il y a une grosse couleuvre dans vos cheveux.

– Sí, sí, sí.

– Trouvez-vous que le parmesan, ça sent les pieds sales?

Mal à l'aise face à cet ado qui lui parle en chinois, l'homme s'invente une tâche et se met à frotter son comptoir à l'aide d'une guenille et d'un pouche-pouche.

Y'était temps, bonhomme!

Mon occasion se présente assez vite. Un jeune couple en grande conversation entre, se dirige vers le frigo au fond, puis s'amène à la caisse avec deux bouteilles de Fanta, l'équivalent du Crush à l'orange. Dès que le ridé se met à pitonner sur sa caisse, je file vers la sortie. En passant devant la table des coquillages à vendre, je m'empare de la première étoile de mer et la camoufle contre mon ventre.

Dans le hall, j'accélère le pas.

– Salut, mon costaud!

Calvince!

Apparu de nulle part, Mike me rejoint. Il empeste le parfum. S'en va-t-il courir la galipote? Il est habillé d'un pantalon à plis blanc, d'une chemise repassée blanche et de souliers en cuir blanc. Un sac à vidange propre. Même à trois heures du matin, il phosphorisera, phosphorescentera phosphorescentirera... il sera phosphorescent dans la nuit!

– T'en vas-tu à un mariage? que je lui demande à la blague afin de divorcer du sentiment de culpabilité qui me colle sur la conscience.

C'est pas le temps de piquer une jasette.

– C'est le party du jour de l'An, il faut bien que je me mette beau une fois avant que l'année finisse. Pis toi, qu'est-ce que tu fais avec une étoile de mer?

– Ah, c'est, euh... rien. Un souvenir pour, euh... ma mère.

– C'est gentil, ça! Comment elle s'appelle?

– ...

Réponds, cibole!

Pendant un instant, nerveux d'avoir commis un vol, j'hésite comme si je cherchais le nom de l'acteur d'un film vu il y a dix ans. J'ai l'air d'un gars qui ne sait pas s'il doit donner le prénom de sa mère ou celui de l'étoile de mer qu'il a apprivoisée.

– Jocelyne.

– Et ton père, lui?

– Robert. Ou bien Bob quand ma mère est en maudit contre lui. Astheure, c'est pas mal toujours Bob. Ils sont divorcés.

– Désolé d'entendre ça. Je m'en allais souper, viens me raconter tout ça.

Miracle: Mike vient de passer une minute sans parler de lui ou de son argent.

Vite, débarrasse-toi de lui.

– C'est déjà fait. Je suis venu tout seul, Maxim est encore malade.

– Ah oui, c'est vrai! s'exclame-t-il comme s'il avait oublié. Est-ce qu'elle va mieux que ce matin?

Je lui résume en quelques lignes notre après-midi palpitant. Il ponctue le tout de quelques sacres.

– Normand est resté avec elle. Il faut justement que j'aille lui préparer une assiette, il va manger à la chambre.

– Je te suis, mon homme.

Dès que j'avance d'un pas, une main raide et pesante m'attrape l'épaule. Je sursaute en faisant volte-face. Monsieur Hola, furieux, déblatère un tas de trucs en espagnol qui ne sonnent en rien comme des compliments ni comme sa réponse à ma question concernant Brad Marchand.

Fidèles à leur habitude, mes rotules capotent. Je chancelle sur mes deux pieds. Mon cœur pompe si fort qu'Hydro-Québec pourrait construire un barrage dans mes veines.

La face de pruneau tire sur l'étoile de mer afin de me l'enlever. Surpris, je le laisse faire. Il pourrait me rentrer les deux doigts dans le nez que je ne réagirais pas.

– Qu'est-ce qui se passe? me demande Mike.

Je me suis fait pogner!

– Je... Je sais pas, euh...

– L'as-tu volée, coudonc?

Comme je ne réponds pas, il m'écarte du chemin, salue le vieil homme chaleureusement et se met à discuter avec lui en espagnol. J'ignorais que Mike parlait trois langues. Avec Pedro, il n'avait usé que de l'anglais.

J'étais pourtant certain d'avoir réussi mon vol à main désarmée. Comment le ratatiné a-t-il fait pour me pincer? Il servait des clients en plus de nettoyer son comptoir. Y avait-il un autre employé posté ailleurs qui m'espionnait sur une caméra de sécurité?

Au bout d'un moment, Mike sort une liasse de billets et en refile quelques-uns à monsieur Hola, qui se calme. Maintenant souriant, monsieur Hola lui remet l'étoile de mer, le remercie (seul mot que je comprends de tout l'échange), puis retourne à son magasin.

Affaire classée.

Wow! Je ne sais pas quel montant lui a offert Mike, mais à voir l'air subjugué du plissé, je me dis qu'il aurait probablement liché le plancher pour le même prix si mon sauveur le lui avait demandé.

Dès que les yeux de Mike se posent sur moi, je me confonds en excuses. Le pouvoir de son argent et sa forte personnalité m'intimident.

– Ce qui s'est passé, c'est que...

Il fait une drôle de face et se protège les oreilles des mains, comme s'il ne voulait plus rien entendre.

– Arrête de te stresser, mon costaud. Tout est arrangé!

– C'est pas ce que tu penses.

– Ce que je pense, on s'en fout. Si tu l'as volée, c'est que tu avais tes raisons et ça me regarde pas. Pour survivre, on doit faire ce qu'on doit faire. Hein !

– Ouin.

– Hein !

– C'est sûr.

– Hein !

– T'as ben raison.

Je suis bouche bée. Premièrement, qu'il ne me fasse pas la morale. Deuxièmement, qu'il me parle avec intensité, comme si nous vivions dans un monde post-apocalyptique et que je venais de voler les dernières provisions de nourriture d'une famille.

– Mais... est-ce que tu vas le dire à Normand et à Maxim ?

– Quoi, ça ?

– Que j'ai volé l'étoile de mer.

– Quelle étoile de mer ?

Son clin d'œil m'indique que je peux dormir tranquille.

– En échange, tu prendras une bière avec moi plus tard.

Si je n'ai pas l'âge de faire de la plongée, j'ai encore moins l'âge de boire.

– Pas ce soir, je peux pas.

– Comment ça ?

Il a l'air sincèrement déçu.

– J'ai promis à Maxim de lui tenir compagnie.

– T'aimes mieux être avec elle qu'avec moi ?

– Ben, euh...

Il y va de son rire gras caractéristique.

– Mouhahahaha ! J'espère ben !

En signe de complicité, il me donne une tape de toutes ses forces sur la même épaule qu'avait choisie Maxim pour m'annoncer que nous irions en scooter. Si la tendance se maintient, ce coup de soleil guérira au printemps.

– Demain, d'abord.

– C'est que...

– Ça sera ta reprise du party de ce soir que tu vas rater. Hein !

– En fait, euh...

– Hein !

– Je sais pas si...

– Hein !

– Je vais être là sans faute.

Ce qu'il peut être insistant ! Mais en même temps, je lui dois bien ça. Il vient de me sauver d'une méchante embrouille. Je ne sais pas ce que Yoda aurait fait si Mike n'était pas intervenu. J'imagine la honte de me faire enlever mon bracelet orange et de me voir chassé de l'hôtel, sans possibilité d'avertir Maxim et Normand.

Si Mike aime régler mes problèmes, il pourrait peut-être offrir cent dollars au nudiste afin que ce dernier oublie l'épisode du *sex on the beach*...

Cette fois, c'est vrai. Nous nous dirigeons vers le buffet, où je m'efforce de remplir l'assiette de Normand avec autre chose que des pâtes pas bonnes. Je salue Mike et le remercie à nouveau. En arrivant à la porte de sortie, deux questions me viennent à l'esprit :

1) Comment puis-je entrer dans la chambre avec une étoile de mer sans que Normand ou Maxim l'aperçoivent ? Je tiens à donner mon cadeau à Maxim lorsqu'elle sera fraîche et dispose, et non entre deux flushages.

2) Comment vais-je faire pour marcher sous la pluie jusqu'à notre bâtiment sans que les tranches de rôti de bœuf et les frites se mouillent ? Déjà qu'elles sont pas terribles à leur état naturel, des frites molles, c'est pas mangeable. Il me faudrait un couvercle en métal comme dans les restaurants chics.

Je dois d'abord planquer l'étoile quelque part... mais où ?

La réponse me vient comme les éclairs de génie qui me foudroient à l'occasion. Je suis vraiment brillant, quand je veux !

Tu veux pas souvent...

Je soulève mon t-shirt, place l'assiette en dessous et, comme je manque de mains, utilise l'étoile de mer comme sous-plat. Je garde le coton de mon chandail tendu telle la toile imperméable d'un parapluie afin de ne pas revenir à la chambre avec un t-shirt à la sauce brune.

En faisant gaffe de ne rien échapper, je me grouille en direction de la plage, le meilleur endroit pour enterrer l'étoile de mer. La pluie déchaînée fait ressortir le principal inconvénient de l'hôtel : l'immensité du terrain. La longue marche me donne le temps de philosopher.

C'est quand même spécial que les étoiles de mer ressemblent aux étoiles dans l'espace. Comment deux choses si lointaines peuvent-elles se rapprocher autant ?

Mais en y réfléchissant bien, les étoiles qui brillent dans le ciel n'ont probablement pas cinq branches. J'imagine que c'est notre façon bien à nous de les représenter, un peu comme on le fait pour le soleil. Enfant, on apprend à tracer un cercle avec une dizaine de traits tout autour pour symboliser les rayons qu'on ne voit jamais en réalité. On constate concrètement leur existence le soir où l'on découvre ses épaules rougies dans le miroir.

Une fois rendu près de l'océan, j'ouvre le couvercle du coffre à serviettes, dépose l'assiette sur le dessus d'une pile, m'assure qu'elle tient en équilibre, puis referme le couvercle. À partir du coin inférieur droit du coffre, je compte cinq longueurs de pied (un chiffre facile à retenir), puis me mets à creuser dans le sable durci par la pluie.

J'en profite pour élaborer un scénario. Un soir, que ce soit demain ou après-demain – en fait, dès que Maxim pourra s'éloigner de plus de cent mètres des bécosses –, je suggérerai une promenade sur la plage. Au moment opportun, je plongerai la main dans le sable et bam! ferai apparaître mon cadeau. À ce moment-là, elle tombera à mes genoux et me demandera en mariage. Quelque chose dans le genre...

Dès que j'atteins une vingtaine de centimètres de profondeur, je dépose l'étoile dans le trou, le remplis, puis égalise le sol au cas où un enfant rêvant de devenir paléontologue remarquerait une anomalie qui lui donnerait envie d'entreprendre des fouilles.

En secouant le sable collé sur mes mains, je songe à un détail plutôt morbide. Puisqu'une étoile de mer est un animal, j'ai volé un cadavre... que je viens d'enterrer! Des funérailles d'étoile de mer.

Quand même incroyable! On vend des dépouilles comme souvenirs et les touristes en achètent. C'est comme si on proposait des marmottes écrasées dans la section déco chez IKEA. *Marmüttenz Ekrathzen.*

Je reprends l'assiette dans le coffre, la couvre de mon dôme en coton et marche sur le pavé et le gazon qui glissent de plus en plus. J'arrive à la chambre trempé et gelé comme un garçon en hiver vêtu de l'habit de neige aux coutures fatiguées que se sont passé ses frères aînés au fil des ans.

Au moment de cogner à la porte, je réalise que j'ai oublié de décoller l'étiquette de prix sur mon cadeau.

Bravo!

J'adore penser aux choses quand il est trop tard...

La pluie étant trop forte, je décide de laisser tomber l'exhumation, notant dans mon calendrier mental de faire disparaître le montant en pesos le soir venu. Si Maxim apprend que cette étoile provient d'un magasin, elle me posera des questions, car elle sait que je n'ai pas un sou. De toute façon, que l'étoile ait été payée ou volée, ça m'enlèverait tout mérite.

– Déjà? s'étonne Normand en m'ouvrant.

J'ai même eu le temps de voler une étoile de mer et de l'enterrer!

Je prends des nouvelles de Maxim.

Un son de chasse me renseigne: pas grand-chose de neuf.

Comme si elle était au courant qu'une fête se préparait ou qu'il ne servait plus à rien de m'emmerder, la pluie cesse peu après.

En soirée, pendant que Maxim vaque à ses activités de chiasse, un énorme party du Nouvel An fait rage sur la scène du théâtre et partout sur le terrain de l'hôtel. Même si on ne voit pas grand-chose à cause de la haie et de la noirceur, nous sommes témoins de l'intensité des célébrations. La musique dans le tapis fait vibrer notre pavillon.

Normand et Maxim dorment déjà lorsqu'a lieu le décompte. Seul sur le perron, je m'en murmure un pour moi-même:

– Dix, neuf, huit, sept, six, cinq, quatre, trois, deux, un, bonne année.

Si des feux d'artifice étaient prévus au programme, aucun n'éclate. Manque de budget ou surplus de pluie, je l'ignore.

Drôle de semaine...

J'ai eu droit à un Noël sans joie ni cadeau où j'ai pleuré la disparition de mon grand-père et là, à un réveillon du jour de l'An effoiré sur une chaise tout seul à écouter des dizaines de touristes chanter et crier.

Ça me convient.

Parce que si je sors avec Maxim, il n'y aura que du bonheur dans les mois qui s'en viennent.

Cette année sera la mienne.

Varadero,
Jour 4

*On commence à le savoir
que ça se passe à Varadero...*

Chapitre 19

Un résumé de la nuit du jour de l'An

Maxim se chie la vie.

Chapitre 20

Une bonne frette, mon chum?

Maxim ressort des toilettes tel un gladiateur ayant vaincu un lion à mains nues, puis s'effondre dans son lit en gémissant.

– Je suis pu capable!

– Ça va aller, ma belle, la rassure Normand, qui émet plus un souhait qu'il y va d'une conviction.

Tout juste revenu de mon déjeuner en solitaire, je m'assois en indien sur mon matelas et observe Maxim, totalement impuissant. Lorsque son regard croise le mien, je me contente de lui adresser un sourire.

Fais quelque chose.

J'aimerais lui dire que sa tourista en est à la fin de son règne, mais après moins d'une journée d'antibiotiques, c'est comme si je promettais à un sinistré dont le niveau d'eau au sous-sol de sa maison dépasse le mètre que les inondations achèvent. Et Normand a dit qu'elle commencerait à aller mieux après vingt-quatre heures, pas qu'elle serait prête à aller faire de l'équitation.

En ce 1er janvier, la nouvelle année commence de façon quasi aussi atroce qu'elle s'est terminée pour Maxim. Le courage ne me vient pas de lui souhaiter:

«Bonne année, grand nez!» Elle me répondrait probablement: «Pareillement, grand fendant!»

Pour voir les choses de façon positive, il faut dire que rester enfermé dans la chambre la plupart du temps diminue mes chances de tomber sur le nudiste. Dehors, la pluie a repris. Maxim ne manque pas grand-chose. Elle passe plus de temps au lit que dans la salle de bains. C'est déjà ça.

Pendant que Maxim fait des siestes ou somnole entre deux va-et-vient de va-vite, Normand et moi jouons aux cartes sur le patio. Les jeux pour deux personnes étant plutôt rares, nous optons pour le 8. Pas pour me vanter, mais je gagne la majorité des parties.

Ça demande tellement de talent, ce jeu-là.

En après-midi, Normand me donne quarante dollars en argent américain et la mission de dévaliser le frigo de la boutique de ses bouteilles de Gatorade. Maxim ne veut rien avaler de solide, mais au moins, elle boit. Ça compense les six cents litres de liquides corporels qui se sont retrouvés dans le système d'égouts cubain.

À ma grande surprise, mais pas tant considérant que Mike lui a graissé la patte, monsieur Hola me réserve un traitement royal. Il n'y a peut-être pas beaucoup de choix côté costumes de bain, mais pour ce qui est des boissons sucrées, cette boutique n'a pas de leçons à recevoir des Couche-Tard. Je reviens avec deux sacs remplis de Powerade, de Gatorade et de

VitaminWater. Maxim aura son apport en sucre pour le mois.

À l'heure du souper, Normand sort le premier pour aller manger, profitant du fait que Maxim dort d'épuisement. Par la suite, je me rends au resto en solo comme hier soir. Au moins, je n'ai pas à me presser.

Ce qu'il y a de génial avec la formule buffet, surtout quand mon interprète est occupé à prendre soin de sa fille, c'est que je n'ai pas besoin de consulter un menu puis de passer la commande à un serveur qui ne comprend rien au français. Mon anglais ainsi que les six mots d'espagnol de mon dictionnaire personnel peuvent relaxer tranquilles. Je sais où se cachent les assiettes et je suis capable de me servir une pelletée d'omelette caoutchouteuse sans demander d'assistance.

J'opte pour des tranches de bœuf, les mêmes qu'hier (on dirait la même pièce de viande depuis le premier jour), du riz blanc gonflé (on met les restants de la veille dans ce qui deviendra le pouding au riz) et des carottes tirant plus sur le jaune que sur l'orange, et m'assois à une table dans la salle à moitié pleine.

Normand avait raison : la bouffe est ordinaire à Cuba. En fin de compte, ça se compare à ce que cuisine ma mère. Au début, j'étais épaté, mais j'ai vite déchanté tant le menu est répétitif et les épices, aussi rares que l'ombre en bordure de la plage.

Pas grave, je suis ici pour prendre du soleil et me baigner. «Était» plutôt. Là, j'attends que la tourista de Maxim se calme. Ensuite, la météo devra emboîter le pas. La pluie n'a pas l'air d'avoir l'intention de quitter Cuba. Qu'elle se déniaise! Il ne reste que quatre jours si je compte la journée du départ, mais comme notre vol est prévu en après-midi, le temps de ramasser nos choses et d'arriver des heures d'avance à l'aéroport, mieux vaut soustraire samedi du total.

– Eille, eille, eille! s'exclame une voix enjouée que je reconnais aussitôt. Avais-tu oublié notre rendez-vous?

– Je t'ai cherché partout! que je mens.

Mike se tient devant moi avec, ô surprise, un cocktail à la main. À l'heure à laquelle il commence à boire le matin, je suis étonné qu'il puisse encore tenir debout rendu au souper.

Il prend place en face de moi, là où se serait probablement assise Maxim si nous étions venus souper en famille.

Une jolie touriste passe à côté de nous. Le cou de Mike, qui la suit des yeux, crochit.

– Beau petit spécimen, ça! dit-il une fois qu'elle s'est éloignée.

Afin qu'aucun détail ne soit laissé au hasard, il mime les courbes des hanches en arborant sa face de «viens ici, bébé», lève le menton en haussant les sourcils et lâche un:

– Hein!

Je souris.

– Hein!

– Oui, oui.

– Hein!

– Vraiment beau.

Ses vêtements classe blancs ont pris leur retraite. Sa chemise hawaïenne à moitié boutonnée, dont sa toison poivre et sel déborde, est de retour.

Doté d'une personnalité hautement caricaturale, on le croirait sorti d'une série télé : le fameux mononcle aux mains baladeuses qui donne une tape sur les fesses de la serveuse chez St-Hubert en faisant un jeu de mots facile avec «cuisse», genre «Je vais prendre tes deux cuisses pour emporter».

Malgré tout, il m'amuse. Un bon divertissement.

– Comment va ta copine?

– Un peu mieux.

– Donc pas assez pour que vous fassiez ketching ketching! Hein!

– ...

– Hein!

– En effet.

Qu'est-ce que je peux dire d'autre?

– Hein!

OK, malaise.

Il prend une gorgée de sa margarita décorée d'un fragile parapluie en bois dont la toile faite de papier de soie rouge se désagrégerait à la première goutte de pluie. Je me suis toujours questionné quant à la pertinence de cette invention. Déjà que le verre est orné d'une tranche de lime et givré de sel, de sucre ou d'une quelconque poudre blanche, les adultes ont-ils en plus besoin d'une bébelle pour apprécier leur cocktail? Faudrait-il commencer à couper leurs toasts en triangles et à insérer des Shopkins au fond des boîtes de Müslix? Ces parapluies devraient plutôt être plantés dans les choux de Bruxelles. Ça encouragerait les enfants à croquer ces légumes à l'arrière-goût de pet.

– On a pas trop eu le temps d'en jaser... Comment vous avez aimé la plongée pis mon chum Pedro?

Il me fait rire. À l'entendre, tout le monde est son chum. Il doit être du genre à avoir 4999 amis Facebook (dont 3586 inconnus), se laissant de la latitude pour un nouveau, au cas où.

Je lui répète ce que j'ai eu l'occasion de lui raconter par bouts dans l'autobus, lorsque nous nous arrêtions pour que Maxim puisse aller se désintégrer aux toilettes. Je ne lésine pas sur les qualificatifs, parce que, si j'omets l'accident de *wet suit* de Maxim, ce fut ma plus belle expérience à vie. Une aventure que je n'oublierai jamais. Ça dépasse ma semaine au camp hanté par Charles Leblanc.

Devant ma passion évidente pour la plongée, Mike me fait part de quelques-uns de ses souvenirs personnels. Le chanceux en a fait partout sur le globe.

– Le plus bel endroit, c'était de loin Tahiti.

– Haïti?

– Non, Tahiti.

– C'est quoi, la différence?

Il ne semble pas importuné par ma question naïve.

– C'est deux places complètement différentes. Les noms se ressemblent, mais c'est tout. Tahiti, c'est en Polynésie française.

OK, parce qu'il y a plusieurs Polynésie à part de ça?

Information numéro 7: Tahiti-je-pensais-qu'il-parlait-d'Haïti fait partie de la   Polynésie-c'est-pas-le nom-d'une-maladie.

– En tout cas, je suis ben content pour vous autres! conclut Mike.

Son verre étant vide, il croque dans la lime en grimaçant.

– Qu'est-ce que je te sers à boire? demande-t-il en se levant. Une bière?

– Un coca-granata, c'est parfait.

– As-tu peur que je te stoole à Jocelyne? blague-t-il en me tapant l'épaule avec le double de force nécessaire.

La même qu'hier!

J'en échappe ma fourchette. Elle atterrit dans mon assiette.

– Pas du tout. Ma mère me laisse boire de la bière à la maison. Ça m'aide à me relaxer la veille d'un examen.

Épais. T'essaies de faire ton tough ou quoi?

Je suis étonné qu'il se souvienne du prénom de ma mère. Je le lui ai mentionné banalement comme ça. Ce n'est pas comme si je la lui avais présentée de façon formelle.

– Parfait, dit-il. Je vais aller te chercher une bonne frette!

Une frette?

Ça doit être le nom d'une boisson, demande-lui pas. Lâche les questions!

Il part en direction du bar, puis revient quelques minutes plus tard avec deux bouteilles vertes rappelant la Heineken dont mon père raffole. Je ne vois pas le plaisir qu'il y a à s'abreuver de parfum de mouffette. Si je tiens compte de l'existence du fromage bleu et du navet bouilli, je me dis que consommer des affaires qui puent doit être un trip d'adultes.

– J'ai décidé de passer à la bière, moi aussi! s'exclame Mike.

Information numéro 8: Chez les bedonnants bronzés millionnaires, une frette est le nom donné à une bière.

Il me tend une bouteille de *cerveza* Cristal, puis me fait un tchin tchin.

– Santé, mon costaud!

Information numéro 9: En espagnol, «bière» se dit *cerveza*. Très peu de chances qu'on m'entende dire un jour: *Uno cerveza por favor graciââss.*

J'approche mon nez du goulot.

Information numéro 10 : La Cristal empeste tout autant que la Heineken.

– Tu as quel âge, au juste ? demande Mike après avoir enfilé une rasade et lâché un «aaaaaaaaahhhhh» de satisfaction.

– Quatorze.

– Quatorze ? s'étonne-t-il. Je savais que t'avais pas seize ans, Normand me l'a dit le matin de la plongée, mais je t'aurais donné quinze. T'es grand pour ton âge.

J'ignore s'il s'agit d'un compliment, mais je le remercie.

– Tu m'as parlé un peu de ta mère, mais tes grands-parents, es-tu proche d'eux ?

– Je connais pas mes grands-parents du côté de mon père. Du côté de ma mère, ma grand-mère fait de l'Alzheimer pis mon grand-père est mort.

– Oh, je suis désolé d'entendre ça. Ça fait longtemps ?

– À peine quelques jours.

Sa gorgée de bière passe par le mauvais trou. Mike s'étouffe.

– T'es sérieux ? demande-t-il en s'essuyant la bouche du revers de la main.

– En fait, vendredi dernier, c'étaient ses funérailles. Il est décédé le 22.

Le jour de ta fête, rappelle-toi.

– Aïe, aïe, aïe, je m'excuse !

– Ça va.

Mes révélations l'ébranlent. Sans doute a-t-il perdu un proche récemment, lui aussi...

Il sort un cellulaire de sa poche.

– Qu'est-ce que tu dirais d'un selfie? propose-t-il pour essayer de changer de sujet.

Son offre me prend par surprise. Je me serais plus attendu à ce qu'il me propose une partie de tir au poignet.

– Euh... OK.

Enthousiaste, il se lève, se rapproche de moi, tend son bras en tenant l'appareil, m'incite à lever le pouce et à sourire, puis il prend le selfie. Il consulte la photo, l'air satisfait.

– On devrait l'envoyer à ta mère, elle serait contente!

– C'est sûr que ça lui ferait plaisir. Mais j'ai pas d'ordi ni de téléphone. Je l'ai juste appelée vite vite sur le iPhone de Normand le premier soir.

– Faisons-lui une surprise! C'est quoi, son numéro?

Il sourit de toutes ses dents, aussi blanches que ses bas. Je lui dicte les dix chiffres, puis réalise ma bévue.

– C'est un téléphone de maison, ma mère a pas de cell.

Amusé par la situation, il réplique:

– Elle est au courant qu'on est au vingt et unième siècle?

– Des fois, je me le demande. Elle vient de découvrir *La Presse+* pis elle se pense techno.

Nous rions.

– Je vais t'envoyer la photo par messagerie privée sur Facebook. Elle est parfaite, regarde.

Il me montre le cliché, tout ce qu'il y a de plus ordinaire. En fait, un selfie, ça reste un selfie : deux faces vues de trop près. Sur celui-ci, on distingue clairement la bouteille de bière dans ma main gauche. Mike peut me transférer la photo à sa guise, mais jamais ma mère n'en verra la couleur. Dans sa tête, j'aurai le droit de boire de l'alcool lorsque je quitterai la maison à trente ans.

Il pitonne sur son cellulaire.

– C'est quoi ton nom sur Facebook, que je t'envoie ça ?

– Mon nom, c'est Benoit-Olivier Lord, mais sur Facebook, tu vas me trouver à Bine Lord.

– C'est vrai, je t'ai pas dit ça cette semaine ! J'ai un petit-fils qui a le même prénom que toi. Benoit-Olivier, on s'entend. Pas Bine.

– Ah oui ? Je pensais que j'étais le seul Benoit-Olivier au Québec.

– Il vit à Lévis. Toi, tu habites où ?

Dès que je lui nomme ma ville, il écarquille les yeux d'étonnement comme si je venais de lui annoncer que je suis le neveu de Tom Brady.

– Une autre coïncidence malade ! Mon frère reste là ! Peut-être qu'il connaît tes parents. Attends un peu, je voulais justement l'appeler.

Ce serait en effet assez drôle qu'ils se connaissent. Et si, par le plus grand des hasards, son frère était un des collègues de ma mère dont elle me parle toujours?

Les deux pouces de Mike pianotent sur son téléphone.

– Bon, je t'ai trouvé sur Facebook, c'est envoyé. Tu regarderas ça en revenant de vacances.

Il sélectionne un numéro préenregistré. Ça répond immédiatement.

– Salut!

Je n'entends pas la voix à l'autre bout.

– Est-ce qu'il fait frette, au Québec? Ici, il fait super beau, je me suis fait griller toute la journée! ment-il.

Il me fait un clin d'œil complice.

– Je suis au Sol Sirenas Playa avec mon chum Benoit-Olivier Lord. C'est un ado de quatorze ans super cool. Je l'appelle «mon costaud». Imagine-toi donc qu'il habite dans la même ville que toi. C'est fou, hein! (...) Hein! (...) Hein! (...) Sa mère s'appelle...

– Jocelyne Brouillard, que je spécifie. Pis mon père, Robert Lord.

– Jocelyne Brouillard et Robert Lord, mais Benoit-Olivier vit juste avec sa mère. Les connais-tu? (...) Ça te dit de quoi? (...) T'es pas certain? (...) Attends un peu, je lui demande.

Il couvre le micro de l'appareil sur sa poitrine.

– C'est quoi, ton adresse?

Je la lui donne. Quelques secondes s'écoulent.

– Proche d'un parc et d'un Pharmaprix?

Je lui fais signe que oui, puis précise :

– Je suis à deux maisons du parc.

Mike fronce les yeux comme s'il entendait mal. Mauvaise réception.

– Tu les connais pas? (...) Ah ben coudonc, ça aurait été drôle. (...) OK, je te laisse, je retourne danser avec mes Cubaines!

Il raccroche en riant.

– J'aime ça, écœurer mon frère. Il fait la même affaire, lui aussi. L'année passée, il est allé à Sydney pendant que je me gelais au Québec pis il m'appelait au milieu de la nuit pour me dire à quel point les Australiennes étaient belles. Là, je me venge.

– Je pensais que tu vivais sur ton bateau.

– J'ai des maisons un peu partout dans le monde. J'ai aussi un chalet au Québec, je skie l'hiver.

Il est chanceux. Et pas juste parce qu'il peut se payer tous les luxes. En tant qu'enfant unique, ne pas avoir de frère à qui lancer un verre d'eau froide en pleine face à six heures du matin pour le simple plaisir de lui causer une crise cardiaque dans son lit m'a toujours manqué. Les niaiseries de gars entre frérots me sont étrangères. Je l'envie.

– Il m'a dit qu'il connaissait pas tes parents, reprend Mike. Pas de nom, en tout cas. Mais il habite à quelques rues. Le monde est petit pareil, hein!

– Ouais.

– Hein!

– Mets-en!

– Hein!

– Fou raide!

Nous échangeons pendant quelques minutes sur nos familles et des sujets divers n'incluant pas la poésie. Évidemment, il me pose des questions à propos de l'école et de mes aspirations. Des incontournables. Je nourris la conversation afin qu'il oublie la bière que je n'ai pas touchée à part pour en respirer la puanteur.

Malgré son côté mononcle ultra quétaine, Mike est cool pour son âge. Il s'intéresse à plein d'affaires. Un homme curieux, mais pas juste par politesse. Je l'avais jugé trop vite. Je pensais qu'il était uniquement centré sur son succès. Au contraire, ce que je lui raconte le captive.

Étonnamment, nous partageons énormément de points communs, dont l'amour du heavy métal et du sport. Quand je lui ai mentionné que j'étais un fan de basket, il m'a dit qu'il adorait ce sport lui aussi. Nous sommes partisans de la même équipe. À cause de son habillement, j'aurais présumé qu'il écoutait du country, mais il tripe sur la musique qui brasse. Comme quoi il ne faut pas se fier aux apparences...

– Tu bois pas ta bière? me demande-t-il au bout de quelques minutes.

– J'attendais d'avoir fini de manger.

– Je peux te servir de la crème de menthe si tu préfères un meilleur digestif, m'offre-t-il en rigolant.

Je feins de saisir la joke en me tapant sur la cuisse, puis m'esclaffe. Il n'y a rien de plus gênant que de ne pas comprendre une blague. Chaque fois que je suis dans un groupe, que ce soit avec des amis ou des membres de ma famille, et que quelqu'un s'exclame : «J'ai une bonne joke pour vous autres», je deviens nerveux. J'ai peur d'être la seule dinde à ne pas me bidonner, alors comme ligne de conduite, je me force à rire dès que la personne dévoile le punch, qu'il soit bon ou pas. Le désavantage est qu'il m'arrive de rire en plein milieu d'une blague. Cette règle ne s'applique toutefois pas aux jokes inventées hyper mauvaises de Tristan.

Tel un spécialiste des vins, Mike prend une gorgée et laisse le liquide décanter dans sa bouche.

– La Cristal, c'est la meilleure bière cubaine, m'informe-t-il. Elle est pas trop forte, mais c'est pas une bière de tapette non plus !

– De la bière de tapette ?

Mike fige un instant.

– Tu sais pas c'est quoi de la bière de tapette ? demande-t-il, surpris.

– Non, que je lui mens pour le plaisir de le voir patiner.

– De la bière de tapette, c'est, euh... ben voyons... tout le monde sait ça... y'es-tu drôle, lui !

Il prend une gorgée pour calmer son malaise.

– Là, va pas penser que j'ai de quoi contre les tapettes. Tant qu'ils touchent pas à nos femmes, ils me dérangent pas pantoute!

Il lâche un rire gras en tapant sur la table.

– Hein!

– Ouais.

– Hein!

– Touchez pas à nos femmes!

– Hein!

– J'ai soif!

Je saisis ma bouteille, déterminé. Après tout, il va falloir que je commence un jour.

À l'après-bal de finissants, il paraît que les gars doivent arriver au party avec une caisse de douze s'ils veulent avoir le droit de participer. Au mois de juin passé, il y a un cabochon de secondaire cinq qui s'est fait ramener en brouette de la ferme où avait lieu le party jusque chez lui parce qu'il était inconscient. Ses chums l'ont poussé sur plusieurs kilomètres. C'est ce qu'on m'a raconté.

– Enwèye, bois! s'exclame Mike en faisant des mouvements vers le haut avec ses mains, comme si de vider ma «frette» représentait un ticket pour la gloire.

Il se met à chanter:

– Mon cher Bine, lève ton verre, lève ton verre.

Pourquoi insiste-t-il autant pour que je boive?

J'effectue un signe de croix dans ma tête et laisse la Cristal inonder ma bouche. J'avale de travers. Ça pétille jusque dans mes oreilles.

Yark! C'est dégueulasse.

— Il est des nôôôôôtres, Bine a levé son verre comme les autres!

Ravi, il me fout la paix avec ma bière et sa chanson d'ivrogne. J'ai bu quelques gorgées, Mike est content. Dans sa tête, le party passe par l'alcool. D'ailleurs, sa bouteille de Cristal est déjà vide.

Pendant que je termine mon rosbif plus que froid, il me pose des questions sur Normand, Maxim et sa mère, où ils habitent, ce qu'ils font comme métier...

— Ça fait combien de temps que tu sors avec ta blonde? demande-t-il en décollant l'étiquette sur laquelle figure un palmier.

— Eh boy! C'est dur à dire. On n'est pas chum-blonde en ce moment. Je sortais avec elle cet été, je l'ai trompée, on a cassé, pis là, je travaille fort pour qu'on reprenne.

Mike cligne des yeux en me faisant signe de ralentir.

— Attends, attends... Tu as quatorze ans et tu as trompé ta blonde?

— J'avais treize dans le temps.

— Ha! Ha! Ha! T'es mon idole, mon costaud!

Il cogne sa bouteille sur la mienne pour célébrer je-ne-sais-trop-quoi. Mon côté *badass,* j'imagine.

Encouragé, j'avale une nouvelle gorgée de Cristal. Tout d'un coup, l'arrière-goût est endurable.

Je me sens un homme.

Varadero,
Jour 5

Tu sais compter. Bravo !

Chapitre 21

Un résumé du cinquième jour

Maxim ne se chie plus la vie.

Varadero,
Jour 6

*Le jour 5,
c'était pas le plus palpitant de la gang...*

Chapitre 22

Le nombril où
tous les rêves sont permis

Les antibiotiques ont pris le dessus comme prévu. Maxim a retrouvé ses traits humains. Sans courir le marathon, elle ne se déplace plus en se traînant les pieds comme un zombie.

Hier, comme son système digestif avait subi une attaque terroriste, elle a dû recommencer à s'alimenter graduellement. Tout d'abord avec des biscuits soda en paquets de deux, puis, plus tard, avec une banane et des céréales sans lait.

Ce matin, elle nous a accompagnés pour déjeuner et elle a mangé son premier repas normal depuis la plongée. Au buffet du midi, elle s'est tapé les pâtes dégueu que j'ai ingurgitées en huit bouchées avant d'aller voler l'étoile de mer. À ce propos, j'ai très hâte de la lui remettre. Ce soir ou demain. Je me souviens de l'emplacement exact.

En après-midi, voyant que l'estomac de sa fille tolère bien la nourriture, Normand est suffisamment en confiance pour s'accorder le luxe d'aller se faire masser. Je ne croyais pas qu'il allait écouter la recommandation de Mike, que je n'ai d'ailleurs pas revu depuis mes quatre gorgées de bière bues en sa compagnie. Il faut dire que je passe beaucoup de temps dans notre quartier général.

Pendant le rendez-vous de son père, Maxim et moi jouons aux cartes en laissant la porte-patio grande ouverte afin de profiter de la brise de la climatisation. Dehors, le temps chaud est de retour, mais il tombe des petites gouttes de pluie. Juste assez pour nous enlever l'envie de courir à la plage.

– Je te jure, dit-elle en brassant les cartes pour jouer à la bataille, je pensais mourir la première journée que j'ai été malade.

– Je te comprends.

– J'ai jamais mal filé de même.

Elle divise les cartes en deux paquets égaux, puis me fixe droit dans les yeux.

– Je m'excuse, dit-elle avec sincérité.

– Pourquoi?

– À cause de moi, tu as été pogné dans la chambre à rien faire. Avec mon père, en plus.

Cette conversation est la plus longue qu'elle a tenue depuis la plongée.

– T'as pas à t'excuser. C'est pas de ta faute si tu as été malade. Pis ton père est pas mal plus agréable que le mien. On a eu du fun.

– Exagère pas, quand même...

– De toute façon, il pleuvait pis il faisait frette. Même si tu t'étais sentie bien, on aurait pas fait grand-chose de plus. Je pense pas qu'on aurait pu voler des costumes de bain pis se sauver en scooter.

Elle rit.

– C'est super gênant, par exemple. Tu m'as entendue chier pis péter.

– J'entendais rien, j'étais dehors la plupart du temps.

Je m'étais promis de ne plus jamais mentir à ma blonde, mais comme nous ne sortons pas ensemble techniquement, je me donne le droit de déroger à ma promesse.

– Les murs de l'hôtel sont en carton, je suis pas conne.

– Bah, c'est pas pire que t'entendre roter l'alphabet.

Oui, c'est pas mal pire.

– Je peux essayer de péter l'alphabet le prochain coup.

Je m'efforce de m'ultradilater la rate. Des encouragements ne lui feront pas de tort.

La partie commence. Nous tournons la carte du dessus de notre pile respective en même temps. Son valet gobe mon 6. À la bataille, il y a autant de stratégie qu'à rouge ou noir. Parfait pour les vacances.

– Sans blague, c'est super humiliant d'avoir la diarrhée à moins de cinq mètres de son... meilleur ami.

Son dixième de seconde d'hésitation me fait bondir intérieurement. Allait-elle dire «chum»? Je mettrais ma main au feu que c'est le mot qu'elle allait prononcer. Je fais semblant que je n'ai rien remarqué.

— Penses-y pas, ça m'a zéro dérangé.

À la bataille, les parties peuvent être courtes comme interminables. Celle-ci bat des records de vitesse, comme si le hasard avait fait en sorte que les figures, les as et les jokers se retrouvent dans la pile de Maxim.

— Veux-tu prendre ta revanche tantôt? demande Maxim en portant la main à son abdomen. J'irais m'allonger un peu, j'ai mal au ventre, mais pas nécessairement pour aller aux toilettes.

— Tu es menstruée?

— Ben non, toto! J'ai des crampes, aujourd'hui. Mes intestins doivent être irrités. J'ai peut-être trop mangé pour dîner.

Pour changer de la routine, elle se couche dans son lit, puis prend la télécommande sur la table de chevet.

— On pourrait regarder la télé un petit dix minutes, je devrais être correcte après.

L'écran accroché au mur fait face aux deux lits. Nous avons passé une bonne partie de la journée d'hier à pitonner d'une émission espagnole plate à l'autre pendant que Maxim prenait du mieux.

— Voudrais-tu que je te masse, à la place? que je lui demande sans réfléchir.

Elle soulève la tête de l'oreiller, incertaine d'avoir bien compris.

– Me masser?

T'as jamais massé personne, tu sais pas comment.

– Oui.

– Me masser quoi?

– Ben... le ventre.

– Comment tu vas faire ça?

Avec mon front et mes talons.

À son tour d'y aller de questions idiotes. Ça clenche mes questions de géographie haut la main.

– Euh... avec mes mains.

Une fois, j'ai étendu du Voltaren – une crème collante à forte odeur d'alcool à friction censée relaxer les muscles – sur les épaules et le haut du dos de ma mère, qui s'était blessée en transplantant de la rhubarbe (quel sport extrême!). Et c'est uniquement parce qu'elle avait marchandé: «Si tu me frottes, tu vas pouvoir te coucher une heure plus tard, ce soir.» Dans mon CV, il s'agit de ma seule expérience sous la colonne BÉNÉVOLAT.

Je clarifie ma pensée:

– Ça te ferait sûrement du bien si je te massais. Tu dois être tendue de la bedaine.

– J'ai pas mal aux muscles, j'ai mal au ventre.

– Le ventre, c'est un muscle, non?

– Pas vraiment.

– Tout d'un coup que tu te sens mieux après?

Elle hésite, comme si elle se trouvait dans la section des jeux vidéo et qu'elle devait choisir entre la console de Sony et celle de Microsoft.

– Ouin, OK, mais je suis pas sûre que ça va me faire du bien.

Yo, elle a dit oui!

Soudain, mon cœur se met à battre fort. Je tremble de l'intérieur. Maxim sera en position couchée et mes mains se promèneront avec tendresse sur son abdomen. Dès que mes terminaisons nerveuses détecteront sa peau soyeuse, une secousse magique me secouera pendant une secousse.

J'ai assez d'être tombé en amour. Je devrai me concentrer pour éviter de tomber dans les pommes. Chaque cellule de mon corps sera en émoi.

Juste à penser que mes doigts lui caresseront le nombril, ça me rend tout croche. Le sien est rentré, le mien, sorti. Une caverne cachant de jolis secrets contre une greffe de pois chiche mou.

Traversée par des frissons de bonheur, ma cliente rentrera son abdomen par en dedans et roucoulera des trucs comme: «Oh, ça chatouille!»

Peut-être que pour me remercier, elle m'embrassera...

Te rends-tu compte que Maxim va être quasiment toute nue à côté de toi?

Cette pensée torride me fait frémir. Tout à coup que je suis victime d'un faux mouvement et que ma main baladeuse atterrit à un endroit interdit?

Calvince, c'est pas comme si t'étais saoul et que tu contrôlais pas tes doigts!

Énervé, je vais à la table, ouvre mon tube de Coppertone et m'en remplis les paumes.

– Qu'est-ce que tu fais avec ça? me demande Maxim.

– Je prends de la crème solaire.

– T'en vas-tu te faire bronzer à la pluie?

– On n'a pas d'huile à massage, alors je prends ce qu'on a.

– Voyons, j'enlèverai certainement pas mon t-shirt!

Comment ça, «certainement pas»? Ce n'est pas comme si mon projet était si débile. Je ne me suis pas offert pour lui licher la plante des pieds. Comment veut-elle que je la masse si elle garde son chandail?

De toute évidence, nous n'avions pas la même vision du massage. Mal à l'aise, je me mets à parler vite.

– Non, non, je me disais que j'allais rentrer mes mains en dessous de ton chandail. Même que je voulais mettre un drap par-dessus pour être sûr de rien voir. Ça m'a jamais traversé l'esprit que tu pourrais te déshabiller.

– Fais juste me masser un petit peu par-dessus mon chandail, je sais même pas si je vais aimer ça.

– Et je fais quoi avec la crème?

J'en aurais suffisamment pour tartiner Maxim de la tête aux pieds... et il m'en resterait pour dorloter le dos de Normand à son retour.

– Essaie de la remettre dans le tube.

Le trou est à peine plus large qu'une pointe d'aiguille.

– Je vais l'étendre sur mes épaules, je me les hydrate de même depuis deux jours.

– Ah! Je te l'avais dit que tu aurais des coups de soleil.

– Non, j'ai pas de coups de soleil. Je fais ça par prévention. Peux-tu rouler mes manches, s'il te plaît?

Maxim se redresse, me remonte une manche jusqu'à la clavicule et manque de vomir en apercevant ma peau.

– T'as comme des bulles d'eau!

Elle vérifie l'autre épaule.

– L'autre est pareille. T'as des méga coups de soleil, toto!

Tu vas mourir du cancer de la peau, c'est officiel.

– Je sens rien. Je pense pas que c'est ça. Ça ressemble à une petite réaction allergique.

Je la ramène à la question du jour:

– Le veux-tu, ton massage?

– Oui, oui.

Elle s'allonge confortablement au centre du lit pour me laisser suffisamment d'espace. Je prends position, puis ne sachant pas trop comment commencer, j'y vais d'un «En avant la musique!» totalement ridicule.

L'abdomen de Maxim est dur comme de la roche. On dirait que ses intestins ont été remplacés par des blocs de béton et qu'elle contracte ses abdos comme les gars de la poly quand ils enlèvent leur t-shirt devant les autres dans le vestiaire.

J'effectue différents mouvements en m'imaginant le bien qu'ils peuvent lui procurer. Des zigzags, des cercles concentriques, des oscillations, des V, des ronds de plus en plus grands. À défaut de savoir ce que je fais, j'y mets de la passion.

Le chandail bouge et fait des plis, mais c'est mieux que rien. Il reste que je suis en train de masser Maxim alors qu'il y a une semaine, elle voulait me tuer. On appelle cela une amélioration.

Ça gargouille là-dessous. Des bruits d'outre-tombe.

Maxim se concentre sur sa respiration, qu'elle bloque au moment où j'appuie sur une zone plus douloureuse.

– Arrête, dit-elle en me retenant le poignet. Ça fait mal.

– Je vais peser moins fort. Je sens que tes muscles commencent à se détendre.

– Tu sens ça?

Pas du tout.

– Oui, c'est flagrant.

Elle me relâche le poignet. J'adoucis les mouvements.

– Est-ce que ça fait plus de bien comme ça? que je lui demande, incertain.

– Ça brasse tellement dans mes intestins, on dirait que je vais exploser. Le sens-tu?

– Mets-en!

C'est exactement ce qu'elle fait quelques instants plus tard. Un énorme plomb brise le silence de la chambre.

Nous sursautons en même temps. Elle ne s'y attendait pas plus que moi. Gênée, elle met une main devant sa bouche. Nous restons sous le choc, à nous fixer, puis éclatons de rire.

– Yark, j'ai pété!

– Tu pues, en plus!

– Menteur! Ça sent rien!

Elle parvient à trouver la force de me donner une bine sur le bras.

Soudain, elle se ressaisit.

– Oh non! On dirait que ça va me repogner pour vrai.

– Les antibiotiques sont censés t'avoir guérie.

– Je me sens bien, aussi. J'ai juste un peu mal au ventre.

– Tu m'as dit que c'était pas un mal de ventre de caca.

– C'est à cause de ton massage, ça déclenche des drôles d'affaires.

– C'est pas de ma...

Elle m'interrompt:

– Bouche tes oreilles, d'accord?

J'acquiesce.

Sur ce, elle se lève d'un coup avec un air inquiet.

– Merde!

Redoutant ce qui s'en vient, elle court jusqu'à la salle de bains en soupirant d'exaspération, puis ferme la porte. Ça recommence. *El recommencio!*

Comme promis, je me couvre les oreilles. Trop idiot pour chanter ou me raconter l'histoire du petit chaperon rouge, je répète la même syllabe.

– La, la, la, la, la, la, la, la, la, la, la, la, la...

Malgré tout, je perçois la voix de Maxim. M'appelle-t-elle ou bien se lamente-t-elle? Je m'assois et porte attention.

– Viens ici! s'exclame-t-elle en parlant tout bas

J'accours à la porte et m'y colle l'oreille.

– Je suis là.

– Ça fait dix fois que je t'appelle!

– Tu m'as dit de me boucher les oreilles, ça fait que...

Elle m'interrompt à nouveau:

– Ferme ta gueule pis écoute-moi!

Rien d'agressif, c'est notre façon de parler.

– Es-tu là? demande-t-elle d'une voix inquiète.

– Où tu veux que je sois d'autre? Tu m'as dit d'arrêter de par...

– Tais-toi, j'ai dit! murmure-t-elle.

– Qu'est-ce qu'il y a? Pourquoi tu chuchotes?

– Parce qu'il y a un iguane juste à côté de moi!

Chapitre 23

Une gougoune
sur la margoulette

Un iguane ? Qu'est-ce qu'elle raconte ?

– Quoi ?

– Il y a un iguane dans les toilettes.

– Quoi ?

Elle s'impatiente :

– Arrête de dire «quoi» pis fais de quoi !

– Tu veux que je fasse quoi ?

– Arrête de dire «quoi», j'ai dit.

– T'es sérieuse ?

– Non, j'avais le goût de te jouer un tour.

– Finalement, as-tu été malade ou bien c'était, euh... normal ?

– C'était ben correct, dit-elle sans donner plus en détail.

– Cool !

Si je ne pensais jamais m'ennuyer de ma mère durant un repas, je pensais encore moins qualifier de «cool» le fait que Maxim me confie, dans des mots détournés, qu'elle a fait un beau p'tit caca.

– Est-ce qu'on peut se concentrer sur l'iguane, maintenant ?

– Mais comment il a fait pour rentrer?

– Peux-tu garder tes questions pour après?

– Fais juste ouvrir la porte, il va se sauver.

– Je veux pas me lever, c'est dégueu, un iguane! On dirait un serpent avec des pattes pis de la vieille peau. Il est tellement gros, en plus!

– Il mesure combien?

– Attends un peu, je vais le mesurer...

Je patiente un instant.

– Et puis?

– Toto! Penses-tu que j'ai envie de le mesurer? Je viens de te dire que ça m'écœure.

L'atmosphère est particulièrement tendue pour une situation à ce point absurde.

– Là, tu es où?

– D'après moi, dans la salle de bains.

– Lâche le sarcasme. Es-tu encore assise sur la toilette ou bien tu es grimpée dans le rideau de douche?

– Sur la bol pis je bouge pas de là! Fais juste ouvrir la porte pis la pousser, rentre pas. Ça va lui permettre de s'en aller.

– Excellent.

Craignant pour mes orteils, je troque mes gougounes contre mes souliers sport, garroche les sandales dans l'entrée, tourne la poignée lentement pour ne pas agresser l'iguane, pousse le bas de la porte avec mon soulier, puis saute debout sur le lit de

Normand et de Maxim en position de karaté au cas où un dragon surgirait de la salle de bains.

Maxim prend une voix douce et parle à l'iguane.

– Vas-y, coco! Va-t'en chez toi!

Je remarque que la porte-patio est ouverte. Pas besoin de chercher plus loin pour savoir par où est entré notre visiteur.

– Il bouge pas, se plaint-elle.

– Peut-être qu'il est mort.

– Non, c'est ça que ça fait, dans la vie, des reptiles. Ça fait semblant d'être mort.

– Il est où, là?

– Dans la salle de bains, que je te dis.

– T'es gossante!!!!!

On croirait entendre mes parents se chicaner.

– Où exactement?

– Entre le bain pis la bol.

– Lance-lui des affaires.

– Je suis pas capable d'atteindre le comptoir.

Il me traverse l'esprit de lui servir une des répliques par excellence de ma mère: «Pas-Capable, je le connais pas.»

– Y'a rien autour de moi à part un rouleau de papier de toilette, mais j'en ai besoin pour m'essuyer.

Yark!

– Tu t'es pas encore essuyée?

– J'ai pas fini.

– Pas fini de faire caca ou de t'essuyer?

– Oublie tes questions connes pis concentre-toi!

– Questions connes, toi-même! Tantôt, tu m'as demandé avec quoi je te masserais.

– Chhhhhhhut! Arrête de parler pour rien. J'ai une idée. Ferme tes yeux pis viens lui faire peur.

– Lui faire peur? Tout d'un coup qu'il me mord?

– Ça mord pas, un iguane.

– Si ça mord pas, lève-toi pis viens-t'en.

– Non, ça bouge vite, ces affaires-là. J'ai peur qu'il me saute dessus avec sa face d'hypocrite. J'ai les jambes remontées, j'ose pas mettre mes pieds par terre.

– Essaie de hurler, ça va lui faire peur.

Je l'entends prendre son souffle.

– BOOOOOUUUHHHHHHHH! crie-t-elle.

Moment d'attente.

– Il a pas bougé!

Sous mes encouragements, elle réessaie, sans succès.

– Trouve un bâton.

– Un bâton de baseball ou un bâton de golf? que j'ironise. On a vraiment beaucoup de choix.

Finalement, c'est dommage qu'elle ne soit pas aveugle. Une canne blanche assomme à merveille.

– Prends une chaise, n'importe quoi que tu peux lancer.

– Ça se lance si bien, une chaise…

– Attends une seconde, m'avertit-elle avant de tirer la chasse.

Ouach!

– Est-ce que ça pue ?

– Je sais pas ce que ça sent, un iguane, et je veux pas l'savoir. Vite !

Pas tout à fait le sens de ma question, mais je laisse tomber. À mon tour d'avoir une idée.

J'ouvre ma valise, m'enroule un t-shirt autour du nez et de la bouche pour m'éviter les mauvaises odeurs qui briseraient la magie de notre amour et un autre autour des yeux. J'ai l'air aussi cave que la fois où j'avais essayé de me rentrer la tête dans un condom.

– Je suis prêt, que je lui annonce de ma voix étouffée.

À tâtons, je saisis les deux tubes de crème solaire sur la table, puis avance jusqu'à l'embrasure de la porte de la salle de bains.

Maxim me guide jusqu'à ce que je sois en bonne position pour attaquer notre intrus sournois.

– Tu vas lui sproutcher de la crème dessus ou bien tu vas pitcher le tube ?

– Je sais pas. Qu'est-ce que tu préfères ?

– L'arroser.

– Je pense que ce serait mieux de l'assommer.

– Pose-moi pas la question, d'abord. Tête dure !

Je lui mime la trajectoire que je compte prendre pour mon lancer. Elle me fait apporter quelques ajustements, puis ordonne le tir du missile.

Je m'exécute.

POC !

Au son de l'impact, je devine que j'ai raté la cible.

– Imbécile! Le couvercle du tube a éclaté sur la céramique du bain.

– Est-ce que l'iguane s'est sauvé?

– Il a pas bougé. Mais là, écarte tes jambes pour qu'il puisse passer entre tes pieds.

– Il est mieux de pas me mordre, j'ai assez de mes coups de soleil.

– Ah, je le savais que tu en avais!

Calvince!

Je me suis fait pincer.

– Bon, deuxième essai.

– Vise un peu plus à gauche pis beaucoup plus bas. Tantôt, t'étais correct pis quand est venu le temps, tu as lancé tout croche.

– Je fais mon possible. C'est rare que je joue au *ultimate frisbee* avec des tubes de crème solaire pis des t-shirts autour de la face.

– Force-toi.

Prise deux: je me replace selon les recommandations de la contremaîtresse, puis m'élance.

– AAAYOOOOOOOOOYEEEEEEE!!!!!

– Qu'est-ce qu'il y a?

– Tu me l'as pitché sur le tibia!!!!

– Oups, s'cuse!

– Laisse faire, ça marche pas.

– C'est pas de ma faute, je vois rien.

– Je vois bien ça.

– Tu vois? Moi, je vois pas. Pourquoi je te fournis pas un objet que toi, tu lancerais?

– Ah oui, pas fou. Apporte-moi une sandale.

Je sors de la salle de bains, retire mon t-shirt supérieur, m'en vais jusqu'à la porte, saisis une de mes gougounes, remets mon t-shirt et retourne à l'aveugle vers Maxim.

La sandale quitte mes mains. En faisant gaffe de ne pas me retrouver les fesses dans le lavabo, je m'assois sur le comptoir. Je ne tiens pas à ce que l'iguane me frôle les chevilles.

Maxim se donne un signal, suivi d'un cri aigu inutile.

– Un, deux, trois, go! Hiiiiiiiiiiiiii!

– Il est parti?

– Il a avancé d'un centimètre. L'autre gougoune, s'il te plaît.

– J'en ai juste apporté une.

– Argh!!!! Grouille!!!

– As-tu peur que l'iguane s'impatiente?

– Ha! Ha! raille-t-elle. Très drôle.

Je répète ma routine dans l'entrée. Au moment où je replace mon t-shirt sur mes yeux, ça cogne doucement à la porte. Normand, qui revient de son massage et qui craint que Maxim soit en train de dormir. A-t-il oublié sa carte magnétique? Sans réfléchir, je taponne pour trouver la poignée, puis ouvre.

– Ça va? demande Normand.

Sa voix sous-entend plutôt la question «Kossé qui se passe icitte?»

Réalisant que je suis costumé en momie, je retire mes chandails à la presse en prenant un air cool.

— Ça va très bien. C'était comment, ton massage ?

— Super, j'ai bien relaxé. Pis vous autres ? Vous faites quoi ?

— La chasse aux iguanes !

Je lui tends la gougoune.

— Voilà ton arme de destruction massive !

Chapitre 24

En signe de détresse,
on branle un peu les fesses

La situation que Maxim jugeait dramatique au début se transforme vite en festival d'humour. Une fois qu'elle est sortie de la salle de bains transportée dans les airs par son père, c'est de voir ce dernier essayer de congédier l'iguane qui devient crampant. Il en fait un cas personnel.

– DÉGAGE D'ICI, TOÉ!

Au lieu de faire marche avant, l'iguane recule et se cache derrière la cuvette.

Normand pogne les nerfs. Bon joueur, il fait exprès de se pomper pour notre plus grand plaisir. Tordus de rire, Maxim et moi nous tenons près de la porte de la salle de bains, mais juste assez en retrait pour grimper sur un lit si jamais l'iguane se décide à retourner dans la nature. Les crampes de Maxim ont passé.

– Veux-tu qu'on aille demander de l'aide? propose-t-elle à son père en retenant un fou rire.

– Voyons, ma chouette! On dérangera pas les employés pour un christie d'iguane!

J'essaie de me mettre dans la peau du reptile : trois espèces de géants débiles me crient par la tête et me profèrent des menaces dans une langue inconnue, tout en m'attaquant avec tous les objets qui leur tombent sous la main. C'est drôle, je n'ai pas le goût de sortir de ma cachette.

– On devrait lui donner un nom, dit Maxim, amusée.

Je lui fais remarquer que c'est elle qui a baptisé Anorexie et qu'elle excelle dans le domaine.

– Quelque chose qui rime avec «iguane», décide-t-elle.

– Banane? suggère son père.

Curieusement, la seule chose qui me vient est un terme géographique.

– Saskatchewan?

Maxim prend ma proposition au sérieux.

– Saskatchewan l'iguane... C'est con, j'aime ça!

– Dégage, Saskatchewan! s'énerve Normand en lançant un caleçon sale.

L'animal reste immobile. Il pense qu'en ne bougeant pas, sa queue longue de cinquante mètres deviendra invisible.

S'apercevant que la technique «foutre la chienne à Saskatchewan» produit l'effet inverse, Normand se joint à nous afin que nous trouvions une solution autre qu'appeler à l'aide.

– Faut apprendre à se débrouiller, dit-il, comme s'il y voyait matière à éducation.

– Pourquoi on l'attire pas avec de la nourriture? demande Maxim.

Il la regarde de ses yeux admiratifs en voulant dire: «Ma fille, t'es la plus brillante.»

Je me porte volontaire pour une escapade au buffet. Mes gougounes étant condamnées, je garde mes souliers. Une fois là-bas, je constate qu'il n'y a plus rien. Que des cuisiniers qui se déplacent à gauche et à droite avec des chariots où s'entassent des plateaux recouverts de pellicule plastique. Les trucs du souper ne sont pas encore servis et ceux du dîner ont disparu. On est dans l'entre-deux.

Je réussis à trouver des pains ronds qui traînent dans un panier en osier. Je ne sais pas s'ils ont été oubliés là ou s'ils sont mis à la disposition des touristes pour capturer des iguanes, mais je m'en remplis les mains et les poches en espérant que Saskatchewan ait faim. À faire la statue, on ne doit pas dépenser beaucoup de calories...

J'ai tenu pour acquis que notre province canadienne à quatre pattes était un mâle. Ma règle de grammaire est simple: on dit «un» iguane, alors c'est un mâle. On dit «une» chèvre, donc toutes les chèvres sont des femelles. Une règle infaillible.

En m'engageant dans le hall, j'aperçois le couple nudiste qui patiente devant l'ascenseur. Une montée d'adrénaline me pousse à me réfugier en petit bonhomme derrière un des nombreux arbustes en pot qui décorent l'hôtel.

Je les espionne à travers le feuillage. Dès qu'ils entrent dans l'ascenseur et que les portes se referment, je porte attention à l'indicateur lumineux au-dessus de celles-ci. Il s'arrête au chiffre 1.

Mes tout-nus logent au premier étage.

Je grimpe les escaliers deux par deux. Une fois sur le premier palier, je me faufile la tête dans l'embrasure de la porte. Je les repère à ma droite, marchant main dans la main. La fille passe la carte magnétique sur un lecteur, puis pousse une porte. Ils disparaissent.

Je m'approche et note leur numéro de chambre : A-126.

J'ai ma petite idée pour la suite...

Je reviens au C-012 au pas de course en me félicitant. Maxim sera fière de mon idée.

– C'était long! dit-elle en guise de remerciement.

– Y'avait rien au buffet, que je donne comme excuse.

Je dépose sur le lit les six pains ronds que j'ai dénichés.

– C'est parfait, dit Normand. J'espère que les iguanes aiment ça.

Nous déchiquetons le pain en morceaux, puis formons un tracé de la salle de bains jusqu'au patio, comme le fait le personnage du Petit Poucet dans un des livres que ma mère me lisait quand j'étais en âge de me faire border.

Nous nous assoyons sur le matelas et attendons que Saskatchewan se bourre la face.

Rien ne se passe.

– Il est stressé, déduit Normand. Ça va lui prendre du temps.

J'y vais d'une solution simple :

– On a juste à laisser la porte-patio ouverte et à s'en aller.

Le Conseil accepte la proposition. Comme l'heure du souper approche, nous nous rendons au bar. Dehors, la bruine a cessé.

– Mike est pas ici, remarque Normand en posant ses fesses sur un tabouret. Ça fait deux jours que je l'ai pas croisé nulle part.

Maxim et moi commandons deux coca-granata. Lui, un Rhum and Coke.

– Peut-être qu'il était tanné d'être ici et qu'il a décidé de partir, suggère Maxim.

– Ça se peut fort bien. Pour un homme riche comme lui, c'est quand même pas extraordinaire comme hôtel. Ça aurait été bien de pouvoir lui dire au revoir. Remarquez qu'il va peut-être réapparaître, il a pas fait très beau, dernièrement.

– Je retournerais bien en plongée, que je mentionne.

– Je sais pas pourquoi, mais j'en garde pas un super bon souvenir, blague Maxim.

En souvenir de l'accident du *wet suit,* nous levons notre verre. Mieux vaut en rire…

Dès que les portes de la salle à manger s'ouvrent, nous sommes les premiers à entrer. Dommage que les restaurants à la carte soient en rénovation ; nous n'en pouvons plus du buffet.

La situation me rappelle les moments où nous sommes pris à bouffer du pâté chinois trois soirs de suite, chez moi. Chaque fois, devant mes protestations, ma mère se justifie ainsi :

– On est quand même pas pour gaspiller.

Et moi, je rétorque :

– Étais-tu obligée d'en cuisiner pour toute la ville ?

Pour se défendre, elle me sert un argument aussi simpliste que la recette :

– Faire un gros pâté chinois, c'est pas plus long qu'en faire un petit.

Souvent, elle finit par congeler les restants, mais ils font de l'eau en dégelant au micro-ondes et la texture des patates devient épouvantable.

Après le repas, Normand insiste pour que nous assistions au spectacle présenté sur la scène principale et à propos duquel il a entendu d'excellents commentaires. Maxim et moi l'accompagnons avec joie. Ça nous fera du bien de passer une soirée à l'extérieur des quatre murs de la chambre.

À l'heure prévue, un monsieur frisé, qui passerait pour un nain de jardin à côté de LeBron James, émerge de derrière un rideau et se met à chanter *a capella*, puis la musique démarre et plusieurs Shakira aux costumes sexy inspirés du plumage des paons font leur apparition et se mettent à se branler le bassin.

Ces Cubaines sublimes déforment leur corps à l'aide d'ondulations que jamais je n'aurais crues possibles. Dans mon cas, je peux me pencher et pivoter légèrement sur les côtés. Elles, elles plient dans tous les sens. C'est à se demander si elles ont des articulations.

Mon mouvement favori, c'est lorsqu'elles se mettent dos au public et se remuent les fesses si vite que ça en devient étourdissant, voire drôle, à la limite. On dirait un trucage, comme si le plancher vibrait sous leurs pieds.

Je n'ai qu'à compter le nombre de mâchoires ouvertes dans la foule pour confirmer que je ne suis pas le seul à être animé d'une soudaine passion pour la musique cubaine.

Le frisé à la voix claire et puissante enfile une dizaine de chansons identiques. La moitié des spectateurs ont quitté les bancs d'estrade et se déhanchent sur une piste de danse improvisée devant la scène, parmi les jeunes enfants qui courent et sautent dans tous les sens.

Les touristes dansent comme des troncs d'arbre, mais c'est admirable de voir tout ce monde s'amuser sans se préoccuper du regard des autres. Il n'y a que moi qui les juge.

Maxim, Normand et moi nous contentons de taper des mains, de bouger les épaules et de faire des faces de «ça *groove* dans mon cœur».

Après un rappel et une ovation debout fort méritée, l'animateur qui a organisé le match de volleyball de plage au début de notre séjour prend la relève et annonce que le concours du meilleur danseur du Sol Sirenas Playa aura lieu dans quelques minutes. Il insiste pour que tous assistent à cet «*unbelievable show*».

– Voulez-vous voir ça? nous demande Normand.

– Oh oui, ça va être drôle! s'excite Maxim. Tu devrais participer, papa!

Il part à rire.

– Ton père a pas dansé depuis son mariage.

– Justement, tu es dû!

Je préférerais aller marcher au bord de la mer pour remettre l'étoile de mer à Maxim, mais son enthousiasme est si craquant que je me fais un plaisir d'accepter. Nous aurons probablement l'occasion d'aller nous promener après, si elle n'est pas trop fatiguée.

Je le regrette vite lorsqu'une employée surgie de nulle part me prend par la main et m'entraîne vers l'avant. Je n'ai pas le temps d'ouvrir la bouche pour protester que je me retrouve sur scène devant Normand et Maxim qui m'acclament.

– Wouhou! Go Bine!

Non, vraiment pas.

L'animateur – du nom de Marco – et son adjointe se faufilent dans la foule et kidnappent des «volontaires» au passage. La plupart se plient au jeu avec joie malgré une gêne évidente. Quelques filles sur le party n'ont pas besoin d'invitation : elles sautent d'elles-mêmes sur scène.

Je fais signe à Maxim de venir me rejoindre. Faisant semblant qu'elle ne comprend pas le message, elle lève les pouces et me fait des bye bye comme le ferait une mère à son enfant qui s'est collé le nez à la fenêtre de l'autobus scolaire.

Je vais voir la fille qui m'a obligé à monter.

– *No dancing for me,* que je lui dis.

Sa réponse se résume à un sourire.

J'essaie dans d'autres mots :

– *Dancing, no thank you.*

L'animateur m'assigne une place afin de créer une ligne droite, puis demande à la foule de nous applaudir.

Je jette un œil à ma gauche et à ma droite : je suis le seul jeune et le seul gars.

C'est super équilibré, votre compétition !

Ça ne me tentait pas du tout de participer. Là, ça me tente encore moins. N'y a-t-il pas un règlement qui stipule qu'il faut avoir dix-huit ans pour danser dans un concours ? N'importe quel nombre en haut de quatorze, au pire ?

Je supplie l'animateur en espagnol d'urgence :

– *Me no dancingo !*

Il m'ignore et s'en tient à son texte appris par cœur. Ne comprend-il pas que s'il me force à rester ici, je vais ruiner son spectacle ?

– *Uno, dos, tres, going* m'asseoir.

Il continue de parler à la foule comme si je n'existais pas. Par aveuglement volontaire, il refuse d'affronter le désespoir dans mes yeux.

Youhou! Je veux pas participer, cibole!

Chapitre 25

Doux tango et salsa piquante

Je suis prisonnier sur scène. Une réplique de Guantánamo.

Qu'est-ce que je fais ici?

Sauve-toi.

Et pour aller où? Me cacher au sommet d'un palmier, la tête dissimulée derrière une noix de coco?

S'exprimant dans un anglais parfait, l'animateur annonce qu'une première étape d'élimination sélectionnera cinq finalistes parmi les dix présents. Nous disposons d'une minute pour impressionner la foule.

Une minute? C'est long!

Est-ce que je peux avoir une minute pour sacrer mon camp, à la place?

Quelques candidats se serrent la main et se souhaitent bonne chance. Maxim et Normand continuent de me faire des bye bye et des *thumbs up*. S'ils pensent que je vais m'humilier!

Le problème est que je ne sais pas me déhancher. Même si je me forçais, j'en serais incapable. Encore plus depuis le spectacle auquel je viens d'assister. Mes os du bassin sont cimentés. Si j'essayais de me branler les fesses, mes boxers déchireraient et mon coccyx se disloquerait.

Non seulement je suis nul, je trouve ça nul. L'acte de se dandiner sur de la musique a quelque chose de bizarre. Surtout qu'en temps normal, ça ne se passe pas sur une scène devant une foule. D'habitude, les gens dansent en rond, en petits groupes, et rient en sautillant comme si leurs pantalons subissaient une infestation de mulots.

On marche pour se rendre quelque part, on court pour y arriver plus vite, on saute pour franchir un obstacle, on se penche pour ramasser un objet, mais danser... quel est le but? C'est profondément crétin.

Un plan s'élabore de lui-même dans ma tête: au signal, je me pousse en arrière des autres, je fais semblant de bouger, personne ne vote pour moi et je retourne m'asseoir. Voilà! D'ici peu, je pourrai tirer un trait sur ce début de cauchemar et profiter du concours dans le confort de mon banc de bois dur comme de la roche.

Légèrement en retrait sur une table à l'avant de la scène, sous une couverture, se dissimule le grand prix. L'animateur titille la foule, regarde sous le drap, se relève en capotant, zyeute à nouveau pour s'assurer qu'il a bien vu, ouvre la bouche d'étonnement. On lui réserve un Oscar.

– *Oh my goodness, I cannot believe it!*

Il me pointe et ajoute:

– *Maybe it is a PlayStation, my friend!*

Une PlayStation? Est-il sérieux?

Tous mes amis ont une console de jeux vidéo, certains deux, voire trois. Je représente un extraterrestre à leurs yeux. Ma mère refuse obstinément de m'en acheter une depuis qu'elle a lu dans un magazine imbécile que les jeux vidéo rendent les jeunes violents. La journaliste qui a écrit ces mensonges mérite la chaise électrique.

Cette console symboliserait le cadeau de Noël que je n'ai pas eu. L'ensemble de mes possessions se résume à une chatte, un ballon de basket de rue, un jeu de Monopoly dont le dé à coudre et la brouette ont probablement fini leur existence dans le sac de la balayeuse, un surligneur deux couleurs et une balle de tennis qui traîne quelque part dans le cabanon. C'est tout.

L'animateur ne m'a pas désigné au hasard. Il sait que ce prix plairait particulièrement au plus jeune du lot. Il a visé juste.

Je n'ai pas le temps d'analyser la situation ni de peser le pour et le contre qu'une musique cubaine (surprise!) démarre et la kidnappeuse responsable de ma présence ici m'empoigne les hanches de ses mains en étau pour m'inciter à me trémousser.

Fais pas ça, tu vas avoir l'air bozo.

Deux choix s'offrent à moi:

1) Me ridiculiser en restant planté debout comme un poteau de basketball au milieu d'une cour d'école.

2) Inventer des mouvements de danse qui feront rire Maxim et qui, par le fait même, me feront courir la chance de gagner une PlayStation.

J'opte pour le second.

Une PlayStation... Depuis le temps que j'en rêve! Je ferai de la place dans ma valise, je jetterai mon manteau, à la limite, mais je ne quitterai pas l'île sans elle.

Pris d'une motivation sans bornes, je me mets à faire la poule, la danse du bacon, j'imite PSY dans le clip de *Gangnam Style,* j'insère dans ma chorégraphie quelques steppettes tirées de *Grease,* le film plate préféré de ma mère. Ma danse de Saint-Guy ne suit aucunement le rythme dicté par la chanson, si bien qu'on parlera un jour du syndrome de Saint-Bine.

Lorsque la musique s'éteint au bout d'une minute, l'animateur nous replace en ligne, puis désigne les danseurs amateurs un après l'autre en demandant à la foule si cette personne devrait faire partie des cinq finalistes.

La candidate numéro 1 reçoit quelques applaudissements, venant tous du même coin. Ses amis, sans doute. La numéro 2 reçoit quasiment une ovation.

Avant-dernier du lot, j'assiste au jugement des prétendants en attendant mon tour. J'en profite pour reprendre mon souffle. Ma danse du n'importe quoi a été épuisante. Avec des gougounes, c'est clair que je me serais tordu une cheville ou deux.

Dotée d'un esprit sportif exemplaire, Maxim encourage tous les candidats. Je devais être drôle parce qu'elle et son père s'essuient les yeux entre deux applaudissements.

Lorsque vient mon tour, je suis surpris d'entendre une marée d'acclamations. Les enfants près de la scène crient comme des hystériques, tout comme Maxim. Normand siffle avec quatre doigts dans la bouche.

Je ne peux faire autrement que sourire devant autant d'appréciation.

T'étais pas bon, les gens ont pitié de toi.

Après le départage des votes, je me retrouve finaliste avec les quatre jeunes demoiselles qui n'ont pas attendu d'être invitées pour participer et pour qui la gêne n'existe pas. Elles s'époumonent et s'excitent comme si leur vie était un party continuel. Du genre à s'inventer un plancher de danse dans la rangée des épices au Maxi dès qu'elles reconnaissent un air familier.

Je n'ai aucune chance.

L'animateur nous assigne un nouveau numéro de 1 à 5, puis annonce l'étape suivante : chacun a trente secondes pour danser selon des critères précis... à tour de rôle !

Il invite le public à applaudir.

Un à la fois... Cette fois, tous les yeux seront rivés sur moi. La PlayStation en vaut-elle la peine ?

Rendu là...

Première danse : la polka.

Une démonstration est faite par Marco et Felicia, la recruteuse. Ils avancent et reculent en faisant des pas et en tournoyant. En me concentrant sur leurs jambes, j'en compte six. Étourdissant.

Notre tour, maintenant.

Nous sommes censés être capables de reproduire cette danse en couple après dix secondes d'observation? Aussi bien me demander de démonter un moteur de scooter.

Les quatre filles dansent à tour de rôle avec Marco, puis Felicia me fait virevolter dans tous les sens. Je me laisse guider par celle à qui j'en voudrai pour le reste de ma vie si je me fais éliminer. Au moins, nous n'avons l'air qu'à moitié fous.

Nous procédons comme ça pour plusieurs danses : salsa, cha-cha-cha, rumba, twist. J'en viens à ignorer toute l'attention dirigée vers moi. Je n'ai d'œil que pour le prix et tente, dans la mesure du possible, d'épater Maxim. Moi, quand je la regarde, des frissons me traversent. J'aimerais qu'elle sente la même chose pendant mes prestations.

Tu peux oublier ça.

Les autres concurrentes qui, je le redoute, ont déjà suivi des cours de danse avancés, se révèlent nettement supérieures. Les règles sont injustes. Ce concours devrait être réservé aux touristes aussi flexibles qu'une brosse à barbecue.

Pour ce qui est de moi, le novice, je me débats comme Anorexie dans le bain. Je ne suis pas l'ado le plus brillant de ma génération, mais s'il y a une chose que je sais, c'est qu'il ne me sert à rien d'essayer de rivaliser contre des compétitrices inégalables.

La clé : me démarquer selon mes forces. Il s'adonne que mon plus grand talent est d'avoir l'air d'un crapet-soleil. Tout en respectant du mieux que je peux les pas de danse, j'agrémente le tout de quelques niaiseries. Un déhanchement comique par ci, une imitation de moineau par là. Une grimace par ci, un saut acrobatique par là.

Les enfants ont l'air d'aimer mes simagrées. Pour leur montrer mon appréciation, je leur fais des *high five* après chacune des danses, qui finissent toutes par se ressembler. On achète des votes comme on peut.

À la fin, nous reprenons notre place dans la ligne et Marco procède comme à la première ronde.

Les candidates numéros 1, 2 et 3 récoltent des applaudissements chaleureux somme toute égaux, tandis que la numéro 4, la meilleure et la plus gracieuse de la bande, reçoit un appui nettement supérieur.

Mon tour.

L'avantage d'avoir des enfants dans son camp, c'est que leurs cris aigus se démarquent du lot. Maxim beugle à s'en briser les cordes vocales, Normand siffle à en devenir bleu et, surprise, de nombreux touristes votent pour moi.

Étais-je si bon que ça ?

Tu les as juste fait rire un bon coup.

Marco invite gentiment les trois premières filles à retourner s'asseoir.

Ça se passe entre moi et la candidate numéro 4.

Si la logique est respectée, elle l'emportera. Sinon, ce sera le plus grand vol de l'histoire des concours de danse.

L'animateur y va de quelques formules pour étirer le temps et décupler le suspense.

– Bonne chance, me souffle mon adversaire, sincère.

Elle n'a pas l'air de tenir au prix. Ça va de soi. Juste à lui regarder l'allure, ça saute aux yeux qu'elle ne passe pas ses samedis après-midi à lancer des grenades en jouant à *Call of Duty*. Que va-t-elle faire avec une PlayStation? Pourrait-on s'entendre à l'amiable? Je lui accorde la victoire et elle me donne le prix?

– Je te souhaite de gagner, ajoute-t-elle.

– Moi aussi, je me le souhaite.

Incapable de nous départager, Marco procède à une seconde puis à une troisième ronde d'applaudissements en ne lésinant pas sur la qualité du spectacle. Il me fait penser à un coach de *La voix* qui assure à une chanteuse qui sonne comme un chaudron qu'elle a une voix divine.

L'égalité persiste. C'en est comique. Marco sue du front comme s'il avait peur de se tromper. Il faudrait un système de scrutin officiel avec des petits papiers à cocher et une boîte dans laquelle déposer son vote.

Notre présentateur demande aux spectateurs de se manifester plus que jamais pour le vote final.

Tout tourne au ralenti. Ses lèvres bougent, il se déplace, le temps fait du tapis stationnaire.

J'attends.

J'ai l'impression de sortir de mon corps et d'observer mon angoisse débordante de l'extérieur.

Parce que ma vie se déroule comme un film depuis le début du voyage – d'abord la valise perdue, ensuite le tour de scooter, le vol de costume de bain, la poursuite, le saut de la haie –, je suis couronné champion. De justesse.

Je sens mon bras soulevé par un Marco survolté. Pas de confettis qui tombent du plafond, aucun jeu de lumière, que les acclamations de l'auditoire et des enfants heureux du dénouement.

C'est la première fois que je remporte autre chose qu'une épreuve d'olympiades. Je réagis en regardant un peu partout et en demandant «Moi? Moi? Moi?», comme si je n'avais pas bien entendu.

Maxim se retient pour ne pas monter sur scène. Sa voix se faufile jusqu'à moi.

– Je le savais que tu gagnerais!

Vais-je devoir y aller d'un discours de remerciement? Je ne peux passer sous silence les p'tits monstres qui m'ont soutenu tout au long du concours.

Maxim aussi, bien sûr. Et Normand. Est-ce que j'oublie quelqu'un?

La perdante me donne une accolade, puis Felicia me remet un trophée, similaire à ceux des compétitions sportives pour enfants, sur lequel est gravé dans le semblant de métal:

Marco demande aux spectateurs s'ils veulent connaître le grand prix. Il les fait applaudir, y va d'un «plus fort que ça, j'ai rien entendu», mais en anglais. Ayant repoussé au maximum le moment tant attendu, il m'invite à retirer le drap. Je ne me fais pas prier.

Une boîte de carton de la grosseur d'une caisse de couches apparaît.

Je dépose mon trophée sur le sol, puis ouvre les rabats. L'intérieur est rempli de morceaux de styromousse de différentes formes rappelant les pinouches du jeu *Perfection*.

Mon cœur fait cha-cha-cha.

Je plonge les deux mains dans la boîte. Mes doigts qui valsent frôlent du verre. Pantois, je retire une bouteille de la caisse, et il me faut quelques secondes pour comprendre qu'il s'agit de jus de poubelle brun.

– *A bottle of our finest cuban brown rum!* s'exclame l'animateur.

La foule applaudit à nouveau.

Mes tripes dansent le twist.

Et ma PlayStation, elle?

– *Thank you everyone and come back tomorrow for another extraordinary show!*

Wô minute! Ma PlayStation!

Les spectateurs se dispersent, Felicia et Marco me tapent sur l'épaule, puis se retirent derrière les rideaux. Abasourdi, je demeure planté sur scène avec mon trophée et ma bouteille de merde.

– Félicitations, champion! me complimente Maxim en me rejoignant.

Ma déception est telle que j'ai envie de pleurer.

Franchement, c'était juste un concours drôle. Commence pas à brailler, t'as pu cinq ans!

– J'étais pas censé gagner une PlayStation? que je demande en ravalant le motton coincé dans ma gorge.

Arrête tes enfantillages.

– Ben non! C'était une joke que le monsieur faisait, répond Maxim qui n'a aucune conscience du bouleversement que je vis.

Elle a tout ce qu'elle désire, alors pour elle, une console de jeux vidéo entre dans la même catégorie de priorité qu'un coffre à crayons : elle en veut une, son père la lui achète.

– Tu pensais qu'il était sérieux ?

Je tente un air détaché.

– Bah... Je me doutais qu'il niaisait, mais j'étais pas certain. C'est cool pareil, une bouteille de rhum.

Je me suis humilié devant toutes ces personnes pour recevoir une PlayStation et je me retrouve avec une bouteille d'alcool aussi dégueulasse que l'eau de mer. Où se cache Marco, que je la lui casse sur la tête ?

Ma vie se passe en effet comme un film depuis le début du voyage. Ça a commencé par un film d'action et là, on vient de tomber dans une comédie stupide que la critique assassinerait.

– En tout cas, si tu veux pas ton prix, je connais quelqu'un qui est preneur, blague Normand en montant les marches.

Lui aussi trouve la situation follement amusante.

C'est drôle comme ça se peut pas !

Je lui remets la bouteille sans hésiter. Il me remercie en faisant mine d'être touché par le geste. Ce n'est pas comme si j'allais noyer ma frustration de ne pas avoir remporté de PlayStation avec du rhum dégoûtant. La première fois que je me saoulerai en cachette, ce sera comme tous les ados, c'est-à-dire avec la bière la moins chère du dépanneur, celle qui goûte la pisse concentrée pétillante.

– C'est hot, des concours de danse, se délecte Maxim.

Plus hot que ça, tu t'ouvres les veines avec un morceau de verre.

– Pourquoi tu as pas participé, d'abord ?

– Parce que je voulais pas gagner à ta place, me nargue-t-elle.

– Pouah ! Tu aurais même pas fait partie des finalistes. Tu danses comme une guenon !

Me prenant au mot, elle s'exécute. Son imitation du chimpanzé réussit à chasser ma mauvaise humeur.

Une autre affaire : elle imite la guenon, elle me fait triper.

– C'est l'heure d'aller te coucher, ma belle. Même si tu vas mieux, il faut que tu continues de récupérer.

La marche au bord de la mer sera pour demain, car elle accepte sans protester. En passant devant la haie bordant notre pavillon, Normand dit :

– On a oublié de vérifier si Saskatchewan était parti après le souper.

– Jamais je croirai qu'il est encore là, que je mentionne.

– On devrait le ramener au Québec, blague Maxim.

En ouvrant la porte, nous avons la surprise de notre vie. Non seulement Saskatchewan s'y trouve encore, mais neuf de ses amis se sont joints à la Confédération. Le Canada au grand complet !

Varadero, Jour 7

Ce serait vraiment cocasse que Bine croise madame Béliveau en bikini sur la plage...

Chapitre 26

Le crachat
de la seconde chance

Si jamais un jour un scientifique écrit une encyclopédie à propos des iguanes, il doit absolument y spécifier qu'ils adorent le pain. Il n'en restait pas une miette.

Je ne sais pas si ces reptiles à la peau de bras de grand-mère ont des lacunes en orientation spatiale, mais après avoir mangé les bouts de pain sur le patio, ils ont préféré squatter notre chambre plutôt que de rentrer dans la leur.

Cette fois, face à un désavantage numérique non négligeable, Normand a dû piler sur son orgueil et faire appel à des huissiers pour les évincer. Les trois employés cubains, qui n'en étaient pas à leur première traque, ont utilisé des cages prévues à cet effet. L'opération a duré plus d'une heure. Une fois l'exil des reptiles garanti, Maxim et moi avons continué d'inspecter chaque recoin. Nous ne voulions pas nous réveiller couchés en cuillère avec une bibitte laide.

Finalement, tout s'est bien terminé. Incapables de nous endormir, nous avons consacré l'heure suivante à rigoler de cette aventure bizarroïde. Pendant la nuit, personne n'a eu de mauvaise surprise en allant aux toilettes. Pas de crotte d'iguane non plus sur un oreiller ou dans les draps. Pas à notre connaissance, en tout cas.

Nous profitons au maximum de cette dernière journée complète dans le Sud. Normand ne décolle pas de sa chaise longue alors que Maxim et moi nous baignons du déjeuner au dîner, puis du dîner au souper, alternant entre la piscine, la mer et le buffet.

Conscients que des vacances se gâtent dans le temps de le dire, nous agissons avec prudence : je me tartine de crème solaire aux heures et Maxim boude l'homme à la machette, l'eau de coco demeurant le suspect principal dans l'affaire *Côlon irrité*.

Comme si Dame Nature voulait se reprendre pour les derniers jours moches qu'elle nous a servis, elle nous réserve un ciel bleu limpide.

Une journée parfaite… avec la fille parfaite.

En début de soirée, quand Normand nous propose d'aller voir le spectacle (il y en a plusieurs en rotation), Maxim lui demande plutôt la permission d'aller jouer à la salle de jeux. Cela fait partie d'un plan dont je lui ai parlé aujourd'hui et qu'elle a accueilli avec admiration.

Normand accepte sans broncher, bien qu'un peu déçu que nous ne lui tenions pas compagnie maintenant que son ami Mike est, selon toute vraisemblance, parti.

Maxim et moi retournons donc à la chambre. Je sors de ma valise le sac de la boutique contenant le Speedo et le costume de bain volé, et en retire la portion léopard.

– Je devrais donner le Speedo à Tristan pour lui jouer un tour.

– Oh oui! jubile Maxim. On pourrait lui dire qu'on lui a rapporté un petit souvenir.

– Pour qu'il se souvienne qu'il est pas allé à Varadero!

Fier de mon idée, je replace mon moule-zwiz dans mes bagages.

Maxim enlève une feuille du bloc-notes posé sur la commode et y écrit ces mots à l'aide du stylo fourni:

I am sorry

Je glisse le papier dans le sac, puis nous sortons.

Prenant quelques mètres d'avance, Maxim joue les éclaireuses. Nous nous aventurons prudemment jusqu'à la chambre A-126. J'accroche le sac à la poignée, cogne à la porte, puis nous décampons en vitesse.

Le temps qu'un des nudistes ouvre la porte – s'ils sont là –, nous sommes déjà revenus dans le hall.

– Maintenant, je vais arrêter de stresser! que je dis après un soupir libérateur.

– Ça aurait été drôle que tu te trompes pis que tu lui donnes le Speedo au lieu du bon costume. Me semble de voir le gars trouver une note d'excuse avec un Speedo léopard.

Nous éclatons de rire.

– Et notre joke à Tristan aurait pas fonctionné!

Dommage que j'aie eu l'idée de remettre le maillot de bain au nudiste hier seulement. J'aurais pu me délivrer de ce fardeau plus tôt dans la semaine.

Maxim fait un signe en direction de la salle de jeux.

– Ça te tente-tu d'aller te faire planter au ping-pong? On va pouvoir jouer une partie complète, ce coup-ci.

Ma contre-proposition sort instantanément.

– On devrait aller admirer le coucher de soleil.

Ouach!

Elle me dévisage, se demandant si je la niaise ou non. Elle doit se sentir comme une répartitrice du 911 qui reçoit un appel à propos d'un ananas volé.

J'ai suggéré la pire des activités. J'aurais eu plus de chances de l'attirer à la plage avec le concours de celui qui catapulte le coquillage le plus loin ou bien de celui qui construit le château de sable à deux étages le plus solide. N'importe quelle compétition idiote. Ce n'est pas dans nos habitudes de nous effoirer et de ne rien faire. Je ne sais pas ce qui m'est passé par la tête.

Observer un soleil disparaître à l'horizon sous un ciel orangé s'inscrit dans la catégorie des loisirs de vieux, en compagnie du tricot et de la prise de pilules pour le cœur. Le genre d'activité de couple à laquelle mes grands-parents s'adonnaient, assis sur leur balcon ou un banc de parc, en lançant des commentaires tel : «C'est-tu assez beau, rien qu'un peu?!»

Tout aussi fascinée qu'eux par la magie des couleurs, ma mère a pris je-ne-sais-trop combien de photos de couchers de soleil au fil des ans, comme s'il s'agissait de souvenirs impérissables. «Te souviens-tu du coucher de soleil du 13 septembre quand tu avais huit ans?» Elle en a même proposé à différents concours amateurs, sans jamais gagner. C'est toujours le gros plan de la goutte de pluie qui ruisselle sur une feuille de plante qui remporte les honneurs.

Il faut croire que j'ai subi une mauvaise influence familiale...

– On dirait que tu es sérieux, s'inquiète Maxim.

Je me mets à rire comme s'il s'agissait d'un poisson d'avril.

– Ben non, je niaisais!

– Fiou! Tu avais l'air sincère.

– Tu devrais savoir que je suis un excellent comédien.

C'est le temps, vas-y!

La fébrilité monte en moi sous forme de nausée.

– J'ai pas le goût de jouer au ping-pong. J'ai, euh... c'est à mon tour d'avoir quelque chose à te montrer.

– Où ça?

– À la plage.

– Tu veux me montrer que tu sais pas juste nager en p'tit chien?

– Exactement!

Intriguée, elle accepte de me suivre.

Pendant que nous marchons, je ne dis pas un mot. Mes nerfs sont en train de me lâcher. Je m'apprête à donner mon cadeau à Maxim et j'ignore si elle sera attendrie par le geste ou si elle me rira en pleine face. Après tout, ce n'est qu'une étoile de mer, pas une bague en or!

– Ça va? me demande Maxim. Tu es tout silencieux.

– J'essaie de me souvenir où je l'ai enterré, que je prétexte.

– Qu'est-ce que tu as enterré?

– C'est une surprise.

À partir du coffre à serviettes, je compte cinq pas vers la droite.

– J'espère que c'est un trésor, s'amuse-t-elle.

– Mieux que ça.

Je retrouve l'endroit exact, enlève mes gougounes, me mets à genoux et, à deux mains, creuse comme un chien qui veut récupérer son os enfoui. Le sable s'accumule entre mes deux cuisses.

L'étoile n'y est pas!

Il faisait noir et il pleuvait le soir où je suis venu, j'ai pu faire erreur dans mes estimations. Je me déplace un peu vers la gauche.

Maxim m'observe, debout, sans bouger.

– Tu piques vraiment ma curiosité.

Les minutes passent et j'en viens à déterrer l'équivalent d'un cercle d'un mètre de diamètre. Mon cadeau s'est volatilisé. Je ne comprends pas.

Je me lève, consulte l'océan à la recherche d'une réponse. Comment quelqu'un aurait-il pu creuser à cet endroit précis? Un enfant qui aurait voulu ériger un château de sable ne se serait pas installé si près du coffre. Se pourrait-il que la marée soit montée jusqu'ici et ait tout balayé sur son passage?

– Qu'est-ce qui se passe? demande Maxim, témoin de ma déception.

Je l'ignore, me concentrant pour calmer les larmes qui montent. Je n'ai pas fait tout ça pour rien!

– Bine, parle-moi. T'es super bizarre.

Mes mots ont de la difficulté à former une phrase.

– Je... J'avais un cadeau pour toi, je l'ai enterré là, mais... il a disparu.

Des larmes en grand nombre montent trop rapidement et me prennent par surprise. Je me mets à sangloter. Maxim est d'autant plus mal à l'aise qu'elle ne comprend rien à mon désarroi.

Je me sauve plus loin, honteux de m'être laissé aller ainsi.

Maxim me rejoint, essaie à quelques reprises de me consoler.

Retrouvant mon calme, je m'essuie les yeux.

– Calvince que j'haïs ça, pleurer!

– Ça fait du bien, je trouve, dit-elle d'une voix douce.

– Pantoute! Moi, ça me rend triste.

Elle me regarde, émue de me voir dépité de la sorte, puis éclate de rire.

– C'est vraiment niaiseux, ce que tu dis!

Je hausse les épaules, n'ayant pas de mots pour exprimer ma frustration.

– C'était quoi, le cadeau?

À quoi bon lui cacher la vérité?

– Une étoile de mer.

Avant qu'elle me dise que c'était juste une blague, gnan gnan gnan, je me dépêche de poursuivre:

– Je sais que c'était pas important pour toi, mais je voulais te prouver que je t'aime. Je veux absolument sortir avec toi.

Elle se colle contre moi.

– Pour ça, tu as pas besoin de me donner de cadeau.

– Je me rappelle pas de tes mots exacts, mais tu m'as dit que la confiance, ça se rachetait pas en deux minutes.

– Je le pense encore, mais ça fait plusieurs jours de ça.

Je recule d'un pas.

– Donc ça veut dire quoi?

Elle hésite. Ses lèvres serrées effectuent des mouvements de gauche à droite comme si elle cherchait la bonne formule.

– J'aimerais ça qu'on recommence à zéro, dit-elle.

Avec un jeu vidéo, il n'y a rien de plus simple que de redémarrer une partie. On perd tout progrès, mais on a la chance de diminuer le degré de difficulté. En amour, comment est-ce que ça se traduit? Après m'être cassé la gueule en mode VERY HARD, j'irais bien avec EASY.

– Comment on fait ça?

– Je sais pas. Es-tu d'accord pour qu'on efface tout?

– C'est sûr.

– Mais si tu veux qu'on sorte ensemble, il faut qu'on se promette qu'à partir de maintenant, on se dit tout.

J'ai l'impression d'entendre Lily. Qu'est-ce que les filles ont à vouloir tout partager? Si je retire mon index de mon oreille avec le bout de l'ongle orange, je ne ressens pas le besoin d'exprimer à voix haute qu'un bouchon de cire me chatouille.

– Tout, tout, tout?

– Pas de cachettes.

Elle crache dans sa paume, puis me la tend comme si elle désirait une poignée de main pour officialiser l'entente.

Je l'imite d'un beau gros crachat visqueux.

– J'accepte.

Affichant un sourire complice, nous nous serrons la main. Le surplus de salive dégouline. Nous avons l'air de deux enfants de huit ans qui scellent un pacte d'amitié après une longue chicane.

Je me retiens pour ne pas crier. Depuis le temps que j'attendais qu'elle me pardonne, j'ai envie de me mettre tout nu et de me rouler dans le sable pour célébrer.

À la place, nous nous retrouvons enlacés sans que je m'en rende compte. Ça vient naturellement. J'en profite pour m'essuyer la main humide dans son dos. Elle fait de même.

Ma bouche s'assèche telle une flaque d'eau sous un soleil radieux. J'ai l'impression de revivre la fin du camp des Aventuriers Extrêmes, mais avec une dose de frénésie supplémentaire, comme si nous avions vieilli de cinq ans et que là, c'était «vrai».

Nous restons comme ça pendant de longues minutes, dans cette espèce de vol émotionnel duquel je refuse d'atterrir.

Au bout d'un moment, elle murmure:

– Tu étais très beau pendant le concours de danse, hier.

– *Graciââss*. Toi, tu es toujours belle.

Nous nous regardons avec intensité. Des papillons sortent de leur cocon et volent à travers mes viscères.

Nous allons frencher, je le sais. C'est écrit dans le ciel. J'attends juste le fichu signal. Ce serait plus simple si ça fonctionnait comme les feux de circulation. Rouge, tu freines. Vert, tu fonces. Là, la lumière est jaune. J'ignore si je dois accélérer ou ralentir.

Maxim répond à mon interrogation :

– Je te donne le droit de m'embrasser.

Nous nous avançons les deux en même temps. Nos dents d'en avant s'entrechoquent. D'instinct, nous reculons et portons notre main à nos palettes.

– Ayoye ! se plaint-elle avant d'éclater de rire.

– C'est de ta faute !

Notre deuxième tentative est plus fluide.

Je ferme les yeux, ouvre la bouche et m'approche avec délicatesse. Une explosion de joie se produit en moi au moment où nos lèvres se touchent, comme deux fils électriques qui entrent en contact. Le courant passe dans mes veines. J'ai l'impression de décoller du sol.

Durant notre échange intense de salive, le bout de la langue de Maxim frôle la mienne. Ce chatouillis me donne le vertige. Je réprime l'envie de lui polir la luette et la laisse me guider, comme Felicia l'a fait durant le concours de danse.

Un long baiser doux, brûlant, langoureux, mouillé, excitant.

Je peux maintenant mourir.

Sol Sirenas Playa

Best kisser

Chapitre 27

Les rotules décimées
de la femme-tronc

La joie qui m'habite est si enivrante que je passerais la nuit à compter les grains de sable sans perdre un seul millimètre de mon sourire.

Contre toute attente, nous nous assoyons sur une chaise longue et admirons le ciel. Le soleil, véritable boule de feu, nous fait face. On ne pourrait pas trouver meilleurs sièges.

Les jambes écartées de chaque côté de la chaise, j'enveloppe Maxim de mes deux bras. Sa tête repose sur mon épaule; la mienne, sur le dossier relevé. Son poids comprime mes poumons, ses omoplates s'enfoncent dans ma poitrine, les os pointus de ses hanches, placées juste au mauvais endroit, me déforment les testicules, le bas de sa colonne m'écrabouille le zwiz. Cette position, je pourrais l'endurer des heures. Maintenant que j'ai une blonde, plus rien ne me dérange. Pas même mes coups de soleil.

Je lui livre une confidence:

– La chicane, c'est l'affaire que je déteste le plus au monde. Je veux plus jamais que ça nous arrive.

– Si on se dit tout comme on s'est promis, y'a pas de raison qu'on se dispute. Mes parents, dès qu'il y a un début de conflit, ils vont faire un tour de voiture et ils reviennent pas tant et aussi longtemps qu'ils ont pas réglé le problème.

– Il nous reste juste à nous acheter un char et à suivre des cours de conduite.

Maxim n'a pas tort. Jojo l'inquiète et Bob le grincheux ne discutaient jamais, à part pour parler des tâches à accomplir et de la foutue liste d'épicerie. Quand venait le temps de résoudre leurs différends, ils le faisaient à voix haute via des messages lancés dans l'univers : «Si ça traînait pas autant dans la cuisine, on souperait à une heure qui a de l'allure», «Même si on soupait plus tôt, ce serait pas plus mangeable». Sinon, c'étaient des engueulades en bonne et due forme qui survenaient dans n'importe quelle pièce, que j'y sois ou non. S'ils avaient imité la technique des parents de Maxim, ils rouleraient encore, quelque part près de Miami.

Maxim et moi sommes à l'opposé de mes parents. Nous nous aimons pour vrai. Maxim est la femme de ma vie. Je le sais. Je l'ai su dès ma première journée de sixième année. Plusieurs se trompent lorsqu'ils disent ça. Pas moi.

D'ordinaire, c'est plate, contempler un coucher de soleil.

Pas avec Maxim.

À travers nos silences, nous observons cet astre solitaire qui nous rapproche. Maxim et moi formons une unité. La proximité de nos souffles m'apaise, celle de nos corps m'émoustille. Des frissons me traversent l'échine. Impossible qu'elle ne sente pas mon cœur frétillant lui cogner dans le dos.

Mais bientôt, la réalité se présente à la porte de notre conscience.

C'est notre dernier soir.

Notre dernier coucher de soleil.

Notre dernier vrai moment ensemble.

– Même si j'ai été malade, j'en reviens pas comme ç'a passé vite, constate Maxim avec justesse en secouant la tête.

Les vacances, qu'il s'agisse des deux mois d'été ou des deux semaines des fêtes, passent toujours trop vite. Celles-ci plus que les autres. À peine commencé, ce séjour à Varadero connaît son épilogue. Une tragédie.

Voilà le problème : il y a une finalité à tout. Tu regardes un bon film, il se conclut au bout de deux heures. Tu fais une randonnée plaisante, il est temps de rebrousser chemin. Tu te rapproches de ton grand-père, la mort décide de te l'enlever. Tu voyages à Cuba avec ton amie qui devient ta blonde... et tu dois rentrer au bercail.

– J'ai pas le goût de retourner à la maison, dit-elle d'une voix étranglée.

Une larme dévale sa joue.

– Moi non plus. Je veux rester ici toute ma vie.

La tristesse de Maxim s'ajoute à la mienne. Deux poids sur mes épaules. Je déglutis avec effort. Ma gorge enflée emprisonne la salive. J'ai l'impression d'avaler du sable. Je contrôle ma respiration pour ne pas éclater en sanglots.

J'ai pleuré tout à l'heure par accident, c'est assez. J'ai trop donné dans ce domaine, dernièrement. La perte de Charles, douloureuse à l'infini, attend le moment opportun pour refaire surface.

Pour accroître la cruauté de la situation, nous nous envolerons demain pour le Québec et son climat inhospitalier. Habiter dans un État américain où il neige une fois aux cinq ans ou dans un pays de carte postale comme Tahiti-je-pensais-que-Mike-parlait-d'Haïti rendrait le retour moins pénible. Passer de trente degrés Celsius à moins trente en l'espace de quelques heures sera un sacré choc. Autant physique que moral.

Les conditions météorologiques hostiles, qui plongent notre province dans une glacière sombre et la couvrent d'une nappe blanche pendant tout l'hiver, n'ont rien d'un pique-nique. La vie n'offre rien de trépidant en janvier. Ni en février, et pas plus en mars, si ce n'est qu'une semaine de relâche dont ne profitent que les amateurs de ski, desquels je ne ne fais pas partie. La perspective de devenir paraplégique en fonçant dans un sapin bordant les pistes m'attire peu.

– De l'école lundi, tu imagines? murmure-t-elle alors que je lui éponge les yeux avec ma manche de t-shirt.

– Arrête, je vais faire une dépression.

– Les connes de mon collège me manquent tellement pas!

L'envie de dégueuler me prend à l'idée que les concepts d'algèbre reviendront s'immiscer de force dans mon crâne. Pourvu que la tourista me pogne dans la nuit de dimanche à lundi...

– Je souhaite que notre avion s'écrase.

– Dis pas ça, se fâche-t-elle. J'haïs ça quand tu dis des affaires de même!

Dans trois matins, à 6 h 50 précises, alors qu'il fera toujours noir, mon réveille-matin hurlera pour annoncer le départ de cette désolante course qu'est mon quotidien répétitif: lever, douche, habillement, déjeuner, mère stressante, autobus, cours plates, dîner, cours plates, retour, devoirs inutiles, souper, mère stressante, télé, coucher.

Le lendemain, le cycle recommencera. Le surlendemain aussi. Et il en sera ainsi jusqu'à la fin juin. Après ça, les adultes se demandent ce qui cause la démotivation chez les jeunes. Euh... allo, la monotonie!

Le retour chez moi, la rentrée scolaire hivernale, tout ça ne serait pas si pire si Maxim n'étudiait pas à des kilomètres de mon école. Notre relation va redevenir celle à distance qui n'a pas pris de temps à foirer cet automne. Cette fois, pas de danger que je tombe dans les bras d'une autre fille. Mais la distance reste là. Et la distance réussit parfois à vaincre la volonté.

– Quand est-ce qu'on va se voir ? demande Maxim.

– À part la fin de semaine, ça va être impossible. Ma mère veut jamais que je sorte la semaine.

– Moi non plus, j'ai une tonne de devoirs.

– C'est injuste. Si on était adultes, on pourrait se voir tous les jours.

Deux journées de bonheur contre cinq à se morfondre valent-elles la peine ?

C'est mieux que sept à s'emmerder tout seul.

– J'ai peur de m'ennuyer, appréhende-t-elle.

Je m'assèche les dents du haut de l'index et, la lèvre supérieure collée à ma gencive, lui dis d'un air imbécile :

– Je suis pas si le fun que ça !

J'espérais la faire rire.

– Arrête. Je suis sérieuse.

– Je sais. Moi aussi, ça me fout la chienne. Mais il y a une semaine, je pensais jamais te revoir.

– C'était tellement moins compliqué quand je te détestais !

Elle réalise l'absurdité de son commentaire et se met à rire.

Je songe à tous les gars qui m'entourent et je ne pige pas pourquoi Maxim m'offre une deuxième chance. Des milliers d'ados de mon âge peuplent la province. Pourquoi veut-elle sortir avec moi en particulier? Pourquoi pas le jeune de la rue d'à côté? De la ville voisine?

Si la nature l'avait gâtée d'une dentition de chameau et d'une face de lama, je comprendrais qu'elle pourrait se satisfaire du maigrichon qui se fait des sandwichs au fromage tous les midis. Mais une perle comme elle? Un mystère.

Ce serait mille fois plus simple si je sortais avec une fille laide. Je n'aurais pas peur qu'elle côtoie d'autres gars et qu'elle me laisse pour quelqu'un de mieux.

Je saisis les mains de Maxim comme si je m'apprêtais à lui passer la bague au doigt.

– Qu'est-ce que tu aimes de moi?

C'est une question de fille, ça! Es-tu rendu mimine?

Ça l'embête.

– Ben... je sais pas. Pourquoi tu me demandes ça?

Aimerais-tu mieux que je te demande la capitale de l'Ouganda?

– Parce que. J'aimerais ça savoir.

– Euh... Tu es drôle, beau...

T'es pas beau pantoute.

– C'est tout?

– Laisse-moi y penser... Je me sens bien avec toi... C'est dur à expliquer.

– Je vois pas en quoi c'est difficile.

– Si c'est si facile, qu'est-ce que tu aimes, toi, de moi?

Je réponds du tac au tac:

– Tu es belle, drôle...

– Copieur!

– Attends, j'ai pas terminé. Tu es gentille, brillante pis, euh... c'est ça, là. Ça fait déjà quatre qualités en cinq secondes.

Soudain, Maxim devient méfiante.

– Ta Lily, elle était pas belle, drôle, gentille et brillante?

Tricheuse!

On n'ouvre pas un dossier classé.

– Tu m'as dit que tu voulais pu en parler.

Je déteste quand elle emploie «ta Lily», comme si j'avais acheté cette dernière sur Kijiji et qu'elle m'appartenait.

– Là, c'est différent. T'es mon chum et ça me fait peur de savoir que tu vas la croiser tous les jours.

– Ça s'est tellement mal fini, y'a pas de danger.

– Comment ça s'est terminé? J'ai jamais su. Raconte.

Elle était assise sur son lit, j'ai sorti le condom de ma poche, il est tombé par terre, elle a pogné les nerfs, je me suis sauvé et elle m'a poursuivi en me hurlant des insultes.

J'essaie de camoufler mon agacement.

– Je t'ai promis de plus mentionner son nom.

Sentant une vague de larmes qui monte, Maxim renifle.

– Je me sens jalouse. C'est pas moi, ça! Je m'excuse. Je veux pas être comme les folles de mon école qui capotent si leur chum leur donne pas signe de vie aux deux minutes. Tu devrais les voir aux toilettes, avec leur cellulaire, pendant les pauses...

Lily était pareille.

– T'as pas à être jalouse. C'est toi, la plus belle.

– Veux-tu sortir avec moi juste parce que je suis belle?

T'es dans la marde...

– Non, tu le sais bien.

D'un air suspicieux, elle hoche la tête telle une agente du FBI qui se prépare à passer un suspect au détecteur de mensonge.

– Je te fais une mise en situation, annonce-t-elle, défiante. On est ici, ce soir, et je vais aux toilettes du pavillon principal. Comme je rentre dans la cabine, il y a une bombe qui explose.

Je la coupe :

– Wow, c'est super réaliste!

– J'ai pas fini. En plus d'être défigurée, je me fais amputer une jambe... non, les deux jambes... La question : veux-tu encore sortir avec moi?

Es-tu rendue folle?

J'éclate de rire, mais elle attend une réponse, comme si elle m'avait invité à aller manger un cornet à la crémerie.

En gros, elle veut savoir si je me promènerais en public avec une femme-tronc brûlée au troisième degré dont la face ressemble à une guimauve grillée. Sûûûûûûûûûûûûûrement!!!

– Quelle sorte de connerie que c'est ça?

– C'est pas une connerie, c'est un jeu.

Un jeu auquel je suis certain de perdre, ouais!

Comment peut-on répondre par la négative et que ça passe? «S'il te restait une jambe, oui, mais zéro, c'est pas assez.» À l'opposé, une réponse positive puerait le mensonge. «Même si t'étais légume, je t'emmènerais cueillir des fraises.»

Tant qu'à délirer, voudrait-elle de moi si je me faisais greffer un melon d'eau sur l'épaule? Pourrait-elle surmonter ce léger pépin de deux kilos? Voyons, c'est clair que je casserais une seconde après l'explosion de la bombe!

– Oui, je t'aimerais quand même.

Beurk! T'es mauvais!

– Jure-le.

– Je te le jure.

Elle se gratte la tête comme si ça lui piquait quelque chose de rare. Est-ce sa façon d'accepter ma réponse? Elle s'éclaircit la gorge.

– Dis-moi que tu m'aimes.

– Avec de l'émotion pis toute?

– Fais juste le dire.

J'obéis.

– Je t'aime.

– Plus amoureux.

Je prends une longue inspiration, puis lève les bras tel un chanteur d'opéra.

– Jeeeeee t'aaaaaaiiiiiiimeeeee.

– Tu parles en robot, me reproche-t-elle.

Peu importe que je monte jusqu'à la cime d'un palmier et que je crache du feu avec des plumes de paon dans le derrière et les mots «je t'aime» écrits sur la poitrine, ce ne sera pas suffisant. Mais d'où vient toute cette insécurité?

J'ai quelques indices pour toi: mensonges, trahison, french, Lily, tromperie. En veux-tu d'autres?

Je la menace, sourire en coin.

– Si t'arrêtes pas de me gosser, je te lance dans l'océan avec tes vêtements!

– Je t'ai demandé quelque chose de simple.

– Je t'aime, je t'aime, je t'aime. Si t'es pas contente, je te pitche à l'eau.

Ma boutade l'aide à réaliser que son angoisse déborde d'intensité. Ses épaules se détendent d'un coup.

– T'es pas assez fort, monsieur, me picosse-t-elle.

Ne reculant devant aucun défi, à part celui de me prendre pour Tarzan sur des câbles électriques, je me lève d'un bond, saisis Maxim sous les genoux et dans le dos, puis tente de la faire décoller de la chaise.

Elle crie comme une hystérique.

– Arrête! C'est mes vêtements pour demain.

– Menteuse!

Tous les muscles de mon corps s'engagent. Me voilà debout avec, dans les bras, un saumon de quarante kilos qui se débat. Je titube en direction de l'eau.

Elle rote en plein dans mes narines pour me faire changer d'idée. Je persévère.

– Dépose-moi, tu vas m'échapper.

– Tu sors avec Hulk, princesse.

– Ark! Appelle-moi pas «princesse», s'il te plaît. C'est quétaine.

J'entre dans l'océan.

– Retiens ton souffle, princesse.

Mes jambes ne suivent plus, mon dos menace de casser en deux. Comme l'eau m'arrive aux genoux, je ne peux lancer Maxim sans risquer de la blesser, alors je me penche.

Ses fesses touchent l'eau. Sa voix aiguë teste la résistance de mon tympan.

– Ramène-moi au bord sinon je vais me fâcher! rigole-t-elle.

Incapable de soutenir son poids à bout de bras, je tombe vers l'avant et me retrouve à plat ventre par-dessus elle. Le sable m'érafle les rotules. Je prends de l'eau plein la gueule, mais réussis à ne pas avaler de bouillon.

Telle une anguille, Maxim se tortille, parvient à se dégager de mon emprise, puis se redresse. Je me retourne sur les foufounes et m'appuie sur mes mains. Maxim se moque de moi.

– Ça t'apprendra à t'attaquer à moi, gros patapouf !

Subtilement, je lui emprisonne la cheville à l'aide de mes deux pieds et tire d'un coup vers moi. Stupéfaite, elle bascule vers l'arrière, pivote sur elle-même en exécutant quelques pas malhabiles pour reprendre son équilibre, échoue, culbute. Ses mains tentent de freiner sa chute. Les éclaboussures dépassent le mètre de hauteur. Un passant sur la plage soupçonnerait deux jeunes en délit de boisson.

Nous nous mettons à rire de nos maladresses. Maintenant que nos vêtements sont imbibés, nous restons assis dans l'eau.

– Je sais pas pourquoi, mais tu es toute trempe, princesse !

– Arrête de m'appeler de même !

– Pourtant, je suis ton prince charmant.

– Est-ce que j'ai l'air d'une princesse qui porte des robes et qui a peur de toucher à un ver de terre ?

– En tout cas, tu as peur des iguanes ! Aimes-tu mieux «pitchounette» ?

– Yaaaaaaaaaaaaaaaaaaaaaaaaaaaaaaark !

Je me lève, pars à courir plus loin, plonge les yeux ouverts. Je ne vois rien dans cette eau d'un noir opaque. Un piranha pourrait viser ma cuisse incognito.

Je remonte à la surface pour reprendre mon souffle.

— Attends-moi, grosse face! glousse Maxim en marchant dans l'eau.

J'en profite pour nager sur le dos et m'éloigner encore un peu d'elle. Je me laisse plus de temps pour l'admirer dans son costume de bain improvisé.

Elle me rattrape.

— As-tu l'intention de traverser l'Atlantique, coudonc? gronde-t-elle en me lançant de l'eau au visage.

— Non, je veux me rendre à Tahiti.

— C'est où ça?

— Aucune idée. C'est Mike qui m'a dit que c'était le plus bel endroit sur Terre.

— Ça aurait été cool qu'il nous emmène sur son voilier.

— À la place, je t'emmènerai glisser en traîneau quelque part en janvier.

— Yé! C'est presque pareil!

Encore mieux que de voguer à bord du voilier de Mike, ce serait de faire de la plongée de nuit avec une lampe frontale. Une expérience à la fois exaltante et terrifiante, comme si tout à coup, à cause de la noirceur, l'océan recelait d'innombrables dangers et mystères, un peu comme une forêt se transforme en maison hantée dès que le soleil disparaît.

— Est-ce que tu aimerais ça, te marier, quand tu vas être plus vieux? demande tout bonnement Maxim.

OK, on se calme, les amis!

J'ignore quel mot dans la conversation lui a fait songer au mariage, mais je réponds sans hésiter.

– C'est sûr.

– Pis aimerais-tu avoir des enfants?

– Seulement s'ils sont moins tannants que toi!

J'y ai souvent rêvé, de faire ma vie avec Maxim. N'est-ce pas le but ultime? On ne tombe pas en amour avec quelqu'un dans l'idée que ça se terminera six mois plus tard.

Pense pas à ça tout de suite.

– J'ai un autre jeu pour toi.

– Pas une autre affaire d'explosion, j'espère?

– Mais non, mais non. Arrête de capoter avec ma mise en situation, c'était juste pour rire. Pis je sais très bien que tu sortirais pas avec moi si j'avais pu de jambes. Là, il faut qu'on pense à combien on voudrait d'enfants pis à «go», on le dit en même temps.

– Si notre réponse est pareille, il se passe quoi?

– C'est un jeu pour niaiser. Y'a pas de gagnant ou de perdant.

– Désolé, je suis habitué de remporter des trophées, que je me vante en faisant référence à mes exploits improbables sur le plancher de danse.

Elle songe un instant à sa réponse.

– Un, deux, trois, go! Deux.

– Huit.

Elle grimace.

– Huit? T'es malade!

– Deux, c'est pas beaucoup.

Vous êtes vraiment en train de parler des bébés que vous allez avoir dans... vingt ans?!!!!!!

Nous retournons au rivage. Mes bermudas gorgés de liquide pendent comme s'ils étaient fabriqués en fonte. Mon t-shirt me colle au corps telle une pellicule plastique de fromage en tranche.

M'étant par le passé contenté de marcher main dans la main avec Maxim, je l'enlace d'un bras et nous avançons les jambes entremêlées jusqu'au coffre de bois. Cette technique nous demandera une dose considérable de pratique. J'ai l'impression de devoir me pencher sur le côté pour m'écarter d'elle et ainsi éviter de trébucher dans ses pieds. Ça manque d'élégance, mais la scoliose ne me fait pas peur.

Nous empruntons deux serviettes et retournons nous sécher à notre chaise.

– On parlait de mariage pis d'enfants, mais on faisait juste niaiser, hein?

– J'espère! que je lui réponds.

Une partie de moi désire y croire. Il y aurait quelque chose de sécurisant dans le fait de savoir que mon futur avec Maxim est assuré. J'ai tant d'autres soucis.

Elle me donne un bec sur la joue.

– Je t'aime, grosse face.

– Je t'aime moi aussi, grosse... grosse...

– Grosse quoi? demande-t-elle en fronçant les sourcils, prête à se jeter sur moi et à engager un combat de lutte.

Je cherche une insulte comique, mais n'en trouve pas.

Nous continuons à nous promettre le ciel et la terre «juste pour le fun», à parler de nous, de nos joies passées, de ce qui nous attend. Nous rions, nous nous inquiétons, balançant d'un extrême à l'autre, des fois dans la même minute. Ces montagnes russes d'émotions rendent cette fin de voyage spéciale, stimulante.

Sans que nous nous en soyons aperçus, le soleil s'est depuis longtemps couché.

Chapitre 28

Le dieu des hautes vagues

La foule au bord de la plage m'acclame. Ils doivent être des centaines à m'applaudir. Mes exploits sont projetés sur deux écrans géants semblables à ceux des rares cinéparcs. Accroupi sur ma planche, je surfe sur le dessus d'un tsunami. Les spectateurs n'ont pas peur d'être avalés par l'océan. Ils savent que je dompte les vagues, qu'elles obéissent à ma voix comme des chiens bien élevés.

Même si ce n'est pas nécessaire, je contracte mes muscles. Découpés au couteau, mes abdos en mettent plein la vue. Ça donne de meilleures photos. Mes commanditaires adorent ça.

Il s'agit d'une compétition annuelle pour laquelle je suis largement favori pour l'emporter. Mike, les belles filles du concours de danse et même Kevin Durant y prennent part. Le statut de vedette du joueur de basket ne m'impressionne pas, pas plus que sa présence surprenante. C'est lui qui m'a demandé un autographe. La véritable superstar, c'est moi.

Maxim me guide tout au long du parcours. Dans un corps de sirène, elle devance ma planche, me trace la voie. Gracieuse, élégante, raffinée, elle nage comme on respire. L'eau est son oxygène.

Tous les gars de la foule rêvent d'être dans le costume de bain du surfeur le plus talentueux, celui qui a la chance inouïe de sortir avec la plus ravissante créature de l'océan.

Les juges conquis d'avance m'offrent une note parfaite. Je reçois une plaque géante ainsi qu'un chèque d'un million de dollars. J'annonce que je ne me nourris que de l'amour du public et que l'argent ira à une œuvre de bienfaisance. Après cette confession un brin cliché, mais hautement efficace, on me vénère encore davantage. Les filles de tous âges me font de l'œil. Pour les faire baver, je contracte mes pectoraux par à-coups.

Marco, l'animateur du concours de danse, demande aux amateurs endiablés s'ils désirent un rappel. Cris hystériques, applaudissements, sifflets. J'accepte en levant la main et en baissant le menton en guise de modestie.

On me remet un harpon à la pointe dorée, puis on m'explique en quoi consiste mon défi : vaincre le requin blanc qui terrorise les plages de Varadero, celui qui a tué des dizaines de touristes ces derniers mois et que personne n'a réussi à éliminer, pas même l'armée cubaine. Un requin incommensurable tant il s'est gavé de chair humaine. Un monstre devenu mythique.

Les spectateurs hurlent de joie. Ils veulent que le sang coule. Pas le mien.

Je saisis ma planche et le harpon, puis m'élance à l'eau.

– Sais-tu où il se trouve ? demande la sirène de ses yeux admiratifs.

– Bien sûr, que je lui réponds. Je te revois dans deux minutes, princesse.

– Bye, mon héros.

Mes battements de jambes s'accélèrent. Je remonte les vagues à contre-courant sans effort. Lorsque j'aperçois, à une centaine de mètres, une nageoire grise aussi large qu'une voile dépasser de la surface, je sais que ce n'est qu'une question de secondes avant que la hantise de l'océan soit chose du passé. Bientôt, les enfants pourront se baigner sans crainte d'être avalés tout rond.

À plus d'un kilomètre du rivage, je me relève sur la planche, me retourne vers la foule et lève le harpon à deux mains en signe de victoire. Un hélicoptère retransmet les images aux écrans géants. Mes fans me répondent. Je les entends. J'entends tout. Même la respiration de la bête plus grande que nature qui a flairé mon odeur, mes mouvements.

Le requin passe sous ma planche, prêt à attaquer. J'attends. Je fais durer le spectacle, amplifie ma légende.

Je transperce l'objet de tant d'histoires d'horreur d'un seul coup. La créature résiste. J'en crochis le harpon. Elle finit par mourir d'épuisement.

Tandis que le monstre flotte derrière, une vague d'eau et de sang me ramène au bord, devant cette foule à la fois émue et impressionnée. L'animateur me soulève le bras comme un arbitre le fait à la fin d'un combat. Je suis le vainqueur. Je suis un héros. Un héros aimé et adulé.

Je me contente de sourire et de saluer mes supporteurs, dont plusieurs se sont procuré des billets à gros prix auprès de revendeurs.

Dans l'océan, Maxim m'adresse un clin d'œil rempli de complicité. J'annonce au micro que je me retire pour de bon. Tous sont abasourdis, certains pleurent. Mais ils comprennent. J'ai tout donné à ce sport, je n'ai plus rien à prouver.

Je salue une dernière fois mes admirateurs, puis saute à l'eau rejoindre mon amoureuse. Nous nageons sous l'eau des minutes durant. Je n'ai pas besoin de reprendre mon souffle.

Nous aboutissons sur une île déserte peuplée d'oiseaux tropicaux et de palmiers luxuriants.

– Je crois qu'on sera bien ici.

– C'est magnifique, commente Maxim en s'assoyant sur une roche identique à celle ayant été témoin de mon vol de costume de bain.

– Ce sera notre paradis.

Elle replace les cheveux mouillés qui lui cachent la vue.

– J'attendais la fin de la compétition pour te le dire : j'ai une belle nouvelle à t'annoncer.

Je devine sa pensée, mais la laisse me murmurer, au creux de l'oreille, la phrase que j'espérais entendre.

Je ris, puis crie de joie. Ensuite, nous nous embrassons. Longuement. Rien ne presse. Il n'y a que nous deux, ici.

Nous serons bientôt trois.

Varadero,
puis quelque part au Québec,
Jour 8

*On dirait bien qu'il y aura pas
de flash-back...*

Chapitre 29

Le retour inattendu

Voilà longtemps que je ne me suis pas réveillé avec le doux souvenir d'un rêve joyeux. Mes nuits ont été peuplées de cauchemars ces derniers mois. J'ai été poignardé par les jumeaux Dupuis, ils m'ont crucifié, lapidé, je me suis retrouvé nu en plein centre commercial avant de me faire couper le zwiz d'un coup de sécateur, j'ai péri dans un accident de voiture violent, madame Béliveau s'est assise sur ma face jusqu'à ce que je crève d'asphyxie, on a ri de moi à m'en dissoudre l'âme, je suis mort brûlé, noyé, torturé.

Bien sûr, je faisais aussi des rêves inoffensifs et sans but, du genre «je mange une toast à la table de cuisine», ou bizarres et n'ayant ni queue ni tête, comme «je mange une toast dans une porcherie envahie par des poules extraterrestres qui fument des Corn Pops», mais pour ce qui est d'un rêve qui me donne l'impression d'avoir dormi douze heures et qui me procure un agréable sentiment de légèreté, je ne me rappelle pas la dernière fois que ça m'est arrivé.

Malgré le fait que je paierais une fortune pour avoir une machine à voyager dans le temps et reculer d'une semaine, je me sens reposé et en paix. Les vacances sont terminées, ça me fait suer, mais je l'accepte. J'ai fait mon deuil. Celui-là est plus facile que l'autre.

Ça ne veut pas dire que je m'active avec bonheur lorsque vient le temps, après le déjeuner, de préparer nos bagages. Mes mouvements s'enchaînent au ralenti. J'agis contre mon gré. Je ne souhaite pas partir, mais j'ai dépassé le stade des larmes intérieures, du déni et des cris à l'injustice.

Avant de fermer à clé nos valises, Maxim et moi avons droit à une petite saucette en guise de dénouement, question de conclure le séjour sur une belle note. Nous bavardons et nous amusons sans entrain. Sans que ce soit la baignade de trop, nous y trouvons peu de réconfort. Il est difficile de s'abandonner quand les minutes sont comptées. On dirait que tout devient plate. Quelle que soit l'activité, tu te dis : «Ouin, mais on s'en va tantôt.»

Par la suite, Maxim et moi nous promenons sur le terrain du complexe hôtelier, comme si nous voulions dire adieu à chacun de ses éléments. Bye bye palmiers, bye bye buffet, bye bye coca-granata, bye bye plage, bye bye terrain de volleyball, bye bye monsieur Machette. C'est fou comme je me suis attaché à la place en un si court laps de temps ! J'ai l'impression que même mes coups de soleil vont me manquer.

À Cuba, ils n'ont qu'une seule chanson, mais il en existe quatre cents versions, les plus populaires étant *El noix del coco nos donnos el diarrhéos remix* et

El bouffa está dégueulassio remix. Les haut-parleurs placés ici et là autour de l'hôtel crachent leur musique joyeuse qui, tout à coup, me tape sur les nerfs. On dirait qu'elle me nargue au lieu de me souhaiter la bienvenue comme ç'a été le cas à notre arrivée. Là, c'est *Y'esta tropo de bueno heuro y tu t'en vas tanto remix* qui me transperce la carapace.

Vers midi, un autobus rempli de touristes bronzés nous transporte jusqu'à l'aéroport. Durant le trajet, je ne quitte pas la mer des yeux. Je me dis que c'est la dernière fois que je la vois d'ici à ce que ma mère m'emmène plus loin que le zoo de Granby. À moins que les parents de Maxim m'invitent à la Riviera Maya l'an prochain... Aussi bien espérer que les Canadiens gagnent la coupe!

À bord de l'avion – un modèle récent ce coup-ci –, je regarde, des écouteurs sur les oreilles, la minitélé fixée sur le siège devant. Cette fois, comme ma peur est un cran plus bas, j'accepte la promotion et m'assois au milieu, à côté de Maxim. Nos cuisses qui se touchent me sécurisent.

Les turbulences, les oreilles qui bouchent et la crainte de mourir au milieu de l'océan sont reléguées au second plan. Je ne pense qu'à la semaine que je viens de passer avec la fille que j'aime et à celles, difficiles, qui approchent. Heureux et inquiet à la fois.

Le concept de voyage m'était inconnu jusqu'à la semaine dernière, et je dois avouer que je le trouve sadique. On met sa vie sur PAUSE, on en vit une fictive mille fois plus palpitante pendant sept jours, ensuite on revient et on appuie sur START afin de reprendre la vraie. Le retour est comme une claque en pleine figure. Et on est censé l'accepter avec le sourire. Ce serait plus facile si les vacances étaient moins amusantes que notre vie de tous les jours...

À l'extérieur de l'aéroport de Montréal, le vent glacial nous réserve un accueil foudroyant. La brise me fait la bise : «Coucou! Re-bienvenue en enfer.»

Re-porter une tuque, re-porter des gants, re-porter un manteau, re-porter des bottes... Misère!

Le trajet en camionnette est encore plus tranquille que celui en avion. Je croyais avoir complété mon deuil. Or, à mesure que la Honda Odyssey gruge les kilomètres, le motton d'émotion grossit dans ma gorge. Une pinotte mal avalée qui reste coincée dans le gorgoton.

Voulant passer le temps et tuer le silence funeste, Normand nous demande de raconter nos deux moments préférés.

Me promener en scooter et frencher ta fille.

Je suis obligé de mentir. J'y vais avec des valeurs sûres : la plongée sous-marine et le concours de danse.

— T'as pas arrêté de dire que tu voulais pas participer, proteste Maxim.

Je me porte à ma propre défense.

— J'y ai pris goût.

— Si tu avais perdu, tu dirais que c'était super poche. Je te connais, grosse face.

Normand n'a pas besoin de participer, il n'a fait que deux choses de sa semaine à part laver la toilette : boire du Rhum and Coke et faire la *siesta* sous *el parasolo*. S'il se plaint de fatigue dans la prochaine décennie, je l'emmène consulter un médecin.

– On demandera pas à Maxim son pire moment ! que je lance à la blague.

– Surtout pas ! confirme Normand.

– Vous pourriez être surpris, s'amuse-t-elle. Peut-être que c'était de voir Bine danser la rumba comme une chèvre.

– Parle pas comme ça au meilleur danseur de Cuba, niaise notre conducteur.

– Je pensais qu'il était champion du monde, renchérit Maxim.

En préparant mes bagages, je me suis assuré d'enrouler mon trophée dans quelques chandails au cas où les employés de l'aéroport prendraient autant soin de ma valise qu'à l'aller. Le souvenir de mon déhanchement gagnant ira rejoindre le cadre de mes grands-parents sur mon bureau. Un bibelot de panda et j'aurai un ensemble de déco complet !

Mes deux taquins se paient ma tête quelque temps. Il y a d'abord eu ma valise rose et mauve, ensuite mon Speedo léopard et maintenant, le concours de danse. Que je l'aie remporté restera à jamais inexplicable. J'étais sans contredit le pire des dix participants. Ça vaudra pour mes milliers de malchances.

Maxim peut se féliciter d'avoir un père cool. Il pourrait me mener la vie dure. J'ai vu plein de films qui exploitaient la dynamique «chum épais, père fâché». À moins d'avoir deux tétines à la place des yeux, Normand sait que sa fille et moi avons un historique amoureux. Il ne m'encourage pas à lui pogner les fesses, mais il n'espionne pas chacun de mes mouvements, n'analyse pas mes paroles jusqu'aux virgules et, surtout, ne m'a pas pris à part dans un coin pour me menacer de m'éclater la cervelle si je fais du mal à sa chère Maxim. Si ça avait été le cas, je serais déjà mort.

Puisque nous n'avons pas soupé dans l'avion, l'itinéraire est interrompu par une pause chez Subway, en bordure de l'autoroute. Ça fait du bien de retrouver la bouffe trop salée et les employés nonchalants d'ici.

À 20 h 35, selon l'horloge du tableau de bord, la camionnette s'arrête derrière la Tercel de ma mère, couverte d'un fin drap de neige. Au sol, l'épaisse couche de flocons a croûté. Dix bons centimètres. On dirait que Jocelyne m'a gardé le magnifique cadeau d'un stationnement à pelleter pour mon retour. J'essaierai d'engager Tristan-le-maître-de-la-souffleuse demain en même temps que j'irai rendre les vêtements empruntés à Laurent.

Les stores relevés et les lumières allumées offrent une vue d'ensemble du salon et de la salle à manger aux piétons scèneux. Ma mère doit attendre mon arrivée avec impatience. Lorsqu'elle va chez Canadian

Tire et à la caisse pour retirer de l'argent, elle en a pour des heures à me raconter ses folles aventures de «les poêles T-Fal étaient à soixante-dix pour cent de rabais, j'ai sauté sur l'occasion» et de «il y avait deux guichets sur trois de défectueux, la file était interminable», alors je peux imaginer le roman après une semaine…

En tant que conducteur serviable, Normand sort, ouvre le coffre et me remet ma valise fleurie. Maxim nous rejoint.

– Merci beaucoup, que je dis avec sincérité à Normand en lui serrant la main. Ç'a été la plus belle semaine de ma vie.

– Pour vrai? demande-t-il en souriant.

– Sans hésiter.

– Je suis content que tu aies tenu compagnie à Maxim. Elle a eu beaucoup de plaisir, je pense.

Il se tourne vers sa fille.

– Oh que oui! confirme-t-elle.

Je sens que les adieux approchent. Mon motton se gonfle.

Pleure pas devant Normand, pleure pas devant Normand, pleure pas devant Normand.

La solution: abréger le supplice.

Je ne sais pas comment saluer Maxim. Lui donner la main comme si elle était un gars? Lui sacrer une bine sur le bras? La gâter de deux becs de matante sur les joues? La frencher goulûment?

La présence de son père me contraint à un simple bye bye de la main. En effectuant de grandes enjambées vers la porte, j'évite de rouler ma valise dans la maudite neige. La camionnette fait marche arrière. Sur le point d'éclater en sanglots, je n'ose pas me retourner pour un dernier au revoir. Quand j'entre dans le vestibule, mes larmes retenues se mettent à couler en cascade.

Une voix inquiète s'élève :

– Benoit-Olivier, c'est toi ?

Les manches de mon manteau se transforment en mouchoirs. Je m'éclaircis la gorge par deux fois.

– Non, c'est le père Noël.

J'entends un bruit d'eau et de fesses qui glissent dans la baignoire, puis ma mère apparaît toute nue dans sa robe de chambre ouverte. Ses cheveux mouillés dégouttent sur le plancher. Vision d'horreur.

– Ah mon Dieu, tu es là ! s'énerve-t-elle.

Elle me saute dessus, me couvre de becs. Je réussis à me libérer de sa prise de lutte.

– Pourrais-tu t'habiller, s'il te plaît ? T'as les totons à l'air pis les stores sont levés.

Je ne sais pas ce qui en est des mères de mes amis, mais la nudité ne va pas à la mienne.

Elle ignore mon langage, qu'elle qualifierait d'outrancier en temps normal.

– Tu es sain et sauf ! dit-elle en pleurant.

– Il paraît que j'ai survécu, que je rétorque à la blague en baissant les yeux.

«Sain et sauf.»

Elle qui prétendait qu'il était insensé d'avoir peur en avion, craignait-elle que je meure dans un écrasement comme celui survenu avant mon départ pour Varadero?

– On t'a pas maltraité? s'inquiète-t-elle en me caressant les cheveux, les joues, les oreilles, la nuque.

Je m'attendais à ce qu'elle se fasse du tracas, mais pas à ce qu'elle flippe à ce point.

– Deux ou trois coups de fouet, mais c'est tout.

Elle me regarde de ses yeux sévères cernés jusqu'aux seins.

– On fait pas des farces avec ça! Raconte-moi ce qui s'est passé.

– Avant de te conter mon voyage, j'aimerais ça, si ça te dérange pas, enlever mes bottes et mon manteau. Profites-en pour attacher ta robe de chambre, c'est un peu dégueu.

Elle noue sa robe de chambre de façon agressive en maugréant pour elle-même. Pour une mère qui s'est ennuyée de son gars, je la trouve passablement impatiente. Sur les nerfs, même.

Un conflit doit avoir éclaté avec sa sœur. Ces deux-là finissent inévitablement par se picosser. Je gagerais sur une chicane à propos de grand-maman ou de l'héritage de grand-papa.

Je range mon manteau et mes accessoires d'hiver dans le garde-robe, pose mes bottes sur le tapis d'entrée, abandonne ma valise dans le vestibule (je la déferai demain), puis m'assois à la table de la salle à manger en me demandant par quoi commencer. Il s'est passé tant de choses en une semaine! De racontables à sa mère, beaucoup moins.

– Ç'a été un voyage incroyable! J'ai fait de la plongée sous-marine, je...

Elle me coupe le sifflet:

– Tu me raconteras le reste plus tard. Explique-moi d'abord comment tu t'es retrouvé en prison.

Chapitre 30

Une plongée dans les bas-fonds de la cruauté humaine

Je regarde ma mère, dont l'air affolé rappelle celui d'une banquière tenue en otage, et pars à rire.

– Je vois pas ce qu'il y a de drôle! gronde-t-elle.

– Voyons, m'man. Tu te moques de moi ou quoi? Elle feint de se calmer.

– Normand m'a tout raconté. C'est correct, je suis pas fâchée.

Pas fâchée? Le pitbull est à la veille de me mordre...

Pourquoi Normand l'aurait-il appelée pour lui jouer un tour? Ce n'est pas le genre de farce qui est comique. Même moi, qui suis passé près de dissimuler un ver de terre dans le café de madame Béliveau, je trouverais la blague déplacée.

J'ai beau chercher, je n'arrive pas à mettre le doigt sur ce qui aurait poussé Normand à mentir de la sorte. S'il était en colère contre moi pour une raison ou une autre, ça aurait paru durant le trajet de retour, et même bien avant.

Mais à quel sujet pourrait-il m'en vouloir? D'avoir embrassé sa fille? De lui avoir reluqué les fesses?

D'avoir volé un costume de bain ? Ça impliquerait que Maxim lui ait avoué avoir fait un tour de scooter à son insu, ce qui est peu probable. Et par-dessus le marché, sans m'en parler, sans me demander de m'expliquer, il serait allé bavasser tout ça à ma mère en plus de lui faire croire que le vol m'avait mené en prison. On ne passe pas les menottes à quelqu'un qui refuse de porter un Speedo. Ça ne tient pas la route.

Est-ce le vol de l'étoile de mer ? Impossible, personne n'est au courant et Mike l'a payée en totalité au monsieur plissé.

Il ne me reste qu'une solution : prouver en douceur à ma mère qu'elle délire. Ne pas la brusquer, juste lui faire comprendre qu'elle en a trop sur les épaules. Peut-être qu'il s'agit de divagations normales après avoir perdu son père. Un genre de choc post-traumatique.

– Je sais vraiment pas de quoi tu parles. Quand est-ce qu'il t'a appelée ?

– Mercredi soir. Une chance que j'étais ici.

Je retourne en arrière. Mercredi, mercredi... Normand prenait soin de Maxim qui était malade, non ?

– J'ai passé la soirée dans la chambre avec Normand et Maxim. Elle avait la tourista.

J'enfile des gants blancs.

– Écoute... Je sais pas si c'est les funérailles...

– MÊLE PAS GRAND-PAPA À ÇA ! capote-t-elle.

Elle s'oblige à se contenir.

– Normand m'a fourni quelques détails, pas la peine de me faire des cachotteries. Ça fait des nuits que je dors pas, alors raconte.

– M'man, je te jure...

– CRACHE!!!! explose-t-elle.

Des postillons me fouettent le visage.

Je prends une respiration lente et profonde. Je n'ai rien à cacher de grave, mais à cause de l'intensité de cette saute d'humeur, mes rotules tremblent. J'ai l'impression d'être accusé d'un crime que je n'ai pas encore commis ou, pire, d'en avoir perpétré un dont je ne me souviens pas. Ai-je assassiné un Cubain à coups de noix de coco lors d'un épisode de somnambulisme?

– Il s'est rien passé de spécial.

La colère lui suinte des pores de peau.

– Des expériences d'ado, c'est normal, on en a tous fait. Mais tu dois comprendre que moi, à cause de tes niaiseries, j'étais ici, comme une dinde, à pas savoir si tu allais être libéré de prison.

Je m'impatiente:

– Mais quelle prison?!

Longue inspiration. Elle se retient de me gifler.

– J'ai vécu une tonne de stress dernièrement à cause de tu-sais-quoi. J'ai pas l'énergie de te tirer les vers du nez.

Son ton durcit. Elle appuie sur chacun des mots comme un doigt sur une sonnette défectueuse.

– Puisque tu veux pas avouer la vérité, je vais te rafraîchir la mémoire. Mercredi soir, je me préparais à aller me coucher quand le père de Maxim m'a appelée pour me dire que tu t'étais fait arrêter par la police.

– Quoi?

– LAISSE-MOI FINIR AU LIEU DE FAIRE L'INNOCENT!

– Mais je fais pas l'innocent. Normand a dû te jouer un tour!

Elle fait la sourde oreille.

– Les faits sont là. Tu as bu de l'alcool en pleine rue, tu t'es fait arrêter par la police et la seule façon de te sortir de prison, c'était de payer la caution de quatre mille dollars.

N'importe quoi!

Je soupire. Sa farce a assez duré. Je la regarde comme si elle jurait que Donald Trump est un homme réfléchi.

– J'ai gagné une bouteille de rhum à un concours de danse, m'man.

– Pis? Étais-tu obligé de la boire sur la place publique?

– Je l'ai pas bue, je l'ai donnée à Normand. Ton histoire est complètement farfelue.

– Tu peux mentir jusqu'à demain matin, si tu veux. Le résultat, c'est que j'ai été forcée de vider mon compte de banque. Tu réalises l'ampleur de ton erreur?

– Si tu essaies de me faire marcher, c'est pas drôle.

Mais je sais que, même après une formation de deux ans dans la meilleure école de théâtre de la province, elle ne pourrait jamais être une aussi bonne actrice. La folie qui l'habite en ce moment est authentique. Tout ça ne peut être que le résultat d'un terrible malentendu.

Les dents barrées, elle poursuit son récit :

– Il y a un ami de Normand qui est passé plus tard dans la soirée pour m'aider à transférer l'argent par internet. C'était pas mal compliqué.

– Quel ami ?

– C'est pas important.

Ses yeux se remplissent d'eau.

– À cause de ça, j'ai plus un sou et je suis endettée par-dessus la tête. Une chance que j'ai pu empiéter sur ma marge de crédit, sinon, tu serais encore en prison. Donc là, arrête tes salades et raconte-moi à la lettre ce qui s'est passé.

Je ne sais pas comment lui expliquer que je n'ai aucune idée de ce qu'elle raconte. Dois-je lui répondre en espagnol ? *Yo no compreno ton historio stupido !*

Le père de Maxim a toujours fait preuve de gentillesse. Pourquoi voudrait-il nous voler de l'argent ? On escroque des inconnus, pas la mère du chum de sa fille !

Le téléphone sonne. Il est rare qu'on reçoive des appels si tardivement, même le samedi.

Ma mère répond en se donnant un faux air sympathique.

– Oui allo (…) Qui est-ce qui parle? (…) Mais, euh… C'est que… C'est impossible… Je vous ai parlé cette semaine (…).

Alors qu'elle écoute la voix à l'autre bout du fil, elle se retourne vers moi, toute blanche. Je la revois le matin du déjeuner avec Carl et Stéphane lorsqu'elle a appris la mort de son père. Même position, mêmes traits, même incrédulité.

Elle continue de parler de façon saccadée.

C'est là que j'allume.

Le iPad!

Je cours à la chambre de ma mère, vérifie sur sa table de chevet, reviens à la cuisine, tourne en rond.

Où est le foutu iPad?

Après avoir mentionné à son interlocuteur (Normand?) qu'elle le rappellera sous peu, elle raccroche.

Le regard perdu, comme si c'était sa mère qui était décédée cette fois, elle balbutie:

– Il… Il faut qu'on… qu'on appelle la police.

– Qu'est-ce qui se passe, m'man?

Mais je me doute déjà de la réponse.

– Je me suis fait frauder. Et je sais pas comment ils ont réussi leur coup, mais la mère de Maxim s'est fait avoir, elle aussi.

À peine sa phrase est-elle terminée qu'elle fond en larmes.

J'aperçois le iPad sur la table du salon, posé sur une pile de magazines qui traînent. Je me rue sur lui, l'allume, clique sur l'icône de Safari, tape «fa» dans la barre de recherche. Google me propose «Facebook». Je clique. Comme ma mère snobe les réseaux sociaux, j'arrive directement sur ma page sans devoir saisir mon nom d'utilisateur ni mon mot de passe.

Mes battements cardiaques fracassent des records.

Plusieurs notifications.

J'entre dans ma messagerie, puis, plus important encore, dans les demandes de messages.

Pas de selfie de Mike et de moi.

Rien.

FUCK!!!!

La nausée me prend. Le sous-marin me remonte d'un coup dans la gorge. Je cours à la toilette et vomis douze pouces de malbouffe.

Ma conscience me profère des injures:

QU'EST-CE QUE T'AS FAIT, MAUDIT TATA?! TA MÈRE A TOUT PERDU À CAUSE DE TOI!!!

Je me rince la bouche acide, puis m'asperge le visage d'eau froide en me repassant en détail le souper partagé avec Mike, nos conversations à propos de sport, de musique, de l'école, de moi, de ma vie, de ma famille, de celle de Maxim, son appel passé à son frère qui n'existe probablement pas.

Ce que j'ai pu être naïf! J'ai carrément servi ma vie sur un plateau d'argent à un crosseur qui n'est ni millionnaire, ni vigneron, ni propriétaire d'un voilier.

Je me trouve con. Très con.

Dans un accès de rage, je crie toute ma frustration. Des restants de Subway se mêlent à l'eau qui forme un tourbillon au-dessus du drain.

Ma mère me rejoint, pose une main sur mon dos courbé, puis flatte mes cheveux.

– Je m'excuse d'avoir douté de toi, murmure-t-elle, émue.

Je m'essuie le bec, puis me serre contre elle, en pleurs.

– Je me suis fait avoir, m'man! Je pouvais pas deviner, calvince!

– Je sais, je sais. Le père de Maxim s'en veut, lui aussi. C'est pas de votre faute.

De ses mains douces, elle me prend par les joues et se rapproche de moi.

– On va trouver une solution, d'accord? Toi et moi, on s'en est toujours bien sortis.

Environ une demi-heure plus tard, Maxim et ses parents débarquent chez moi en catastrophe, puis c'est au tour de la police.

Mon rêve de surf était trop beau pour être vrai. Retour à la normale. Ce soir, cette nuit, le cauchemar est de retour.

Et nous le vivons tous éveillés.

Lorraine,
Jour d'écriture 68

C'est donc ben long, écrire un roman !

Remerciements, coups de soleil et salutations

Je tiens à remercier l'agente de bord d'Air Transat ainsi que l'agent de la Sûreté du Québec qui ont accepté de répondre à mes questions. Par crainte de perdre leur emploi, Sophie St-Onge et Simon Bérubé ont tenu à conserver l'anonymat.

Salutations au thé «orange juteuse» de David's Tea qui me garde éveillé toute la journée. David, si jamais ça te tente de me commanditer, j'accepte tout ce qui est gratis!

Un gros merci à mes fans qui ont accepté de répondre à quelques questions nécessaires à l'écriture du chapitre 27: Naomy Angers, William Gélinas, Charles Gagnon, Anthony Riendeau, Jeremy Macias, Laurent Gagnon et René Giroux. C'est très apprécié, les cocos!

Comme d'habitude, merci à ma directrice littéraire, Katherine Mossalim, d'échanger des idées avec moi par téléphone, et ce, même si elle me fait parfois des précisions inutiles du genre: «J'ai pas répondu tantôt, j'étais sur la bol.» Après des années à travailler avec la même personne, on devient intimes, veut veut pas.

La preuve : j'ai osé lui raconter ma fameuse histoire de la lampe de chevet et des champignons...

Merci aussi à tous les membres des Malins, car si je ne nomme que Katherine, ça risque de faire de la chicane. Il y a déjà assez de conflits dans la cabane...

Salutations aux trois filles de l'Université de Sherbrooke avec qui j'ai voyagé à San Andrés, une île appartenant à la Colombie, à la fin de mon bac en enseignement préscolaire et primaire. J'en conserve plusieurs excellents souvenirs, dont un après-midi de plongée avec Michel (un Québécois rencontré sur place) et un certain concours de danse que j'avais remporté pour des raisons qui m'échappent toujours. Au moment de gagner ma bouteille de rhum, j'étais loin de me douter que ça m'inspirerait un jour les péripéties d'un roman...

Coup de soleil au fromage feta. T'es tout simplement écœurant !

Restons dans le dégueulasse. Coup de soleil à vous, bananes en guimauve. Tout de vous m'horripile, à commencer par votre texture caoutchouteuse. Sachez que vos cousines, les fraises en guimauve, occupent une place de choix dans mon cœur.

Salutations à toutes mes idoles qui m'inspirent et aux groupes de musique qui me permettent une meilleure introspection. Je ne les nommerai pas, car personne ne leur fait le message de toute façon.

Coup de soleil à tous ceux qui écrivent des propos haineux sur Facebook, tout particulièrement les anticyclistes qui se réjouissent quand un tata en Ford F-150 se filme en passant à quelques centimètres d'un gars qui n'a qu'un casque Louis Garneau comme protection. Je vous souhaite un peu plus de paix dans votre cœur et moins de temps libre.

Merci à mes milliers de fans québécois ainsi qu'à mes quatre admirateurs européens.

Salutations à mes Warriors qui ont gagné le championnat de la NBA en 2018, un troisième en quatre ans. On y va pour un quatrième en 2019?

Merci à Mathieu Benoit d'avoir si gentiment embarqué dans le projet *L'gros*. Ça n'a pas du tout rapport ici, mais je tente par tous les moyens de faire connaître cette nouvelle série qui me tient à cœur.

Coup de soleil à ma narine gauche qui, j'ignore pourquoi, produit, beau temps mauvais temps, une minicrotte de nez insidieuse qui reste collée pendant des heures sans que je m'en rende compte. Le problème, c'est que tout le monde la voit sauf moi.

Merci à ma femme et à mes trois enfants. Revenir chez moi après avoir passé la journée dans une école et quelques heures sur la route reste l'un de mes plus grands plaisirs. J'ai été si longtemps seul durant la vingtaine que j'apprécie jour après jour leur présence.

Merci encore une fois à tous les profs qui m'invitent et me réinvitent dans leur classe. Ça me fait toujours plaisir de vous mentionner que j'étais autrefois enseignant, mais qu'aujourd'hui, je n'ai plus de corrections à faire, de bulletins à remplir ou de plans d'intervention à rédiger, haha!

Coup de soleil à Netflix qui me vole des heures que je devrais consacrer à la lecture de romans plutôt qu'à un écran de télé.

Pour les prochains mois, j'espère de tout cœur que ma série *Couche-toi moins niaiseux* va décoller en fou parce que j'ai accumulé du matériel pour plusieurs autres volumes. Moi, tant que tu apprends en riant, je suis heureux...

Rassure-toi, *Bine 9* n'est pas le dernier de la série. Je n'arrêterais jamais si près du tome 10. Tu sais comme les humains aiment les chiffres ronds! Le personnage de Bine, qui est en quelque sorte une extension de moi-même, va continuer d'exister. Écrire ses aventures est le rêve d'une vie. Pour un éternel nostalgique comme moi, revisiter ma jeunesse demeure un plaisir quotidien. J'espère que je trouverai des idées et des thèmes originaux pour plusieurs tomes encore, car pour l'instant, je ne ressens pas le besoin de fermer les livres. D'ailleurs, je sais déjà ce que je te réserve pour le dixième...

Pour voir des vidéos d'écureuils
qui font du ski nautique,
rejoins Daniel sur Facebook.
(Ne t'inquiète pas, il y a aussi des vidéos de gens
qui se pètent la margoulette dans les escaliers.)

facebook.com/BineLeLivre

Bine
tome 10

En vente à un moment donné

(C'est un chiffre rond, alors il aura pas le choix d'être bon!)